今日から
怒らないママになれる本!

子育てが
ハッピーになる
魔法のコーチング

川井道子
kawai michiko

学陽書房

まえがき

今日、子どもを怒りましたか？

一日に何回くらい怒っちゃいますか？

いつもどんな言葉で怒ってますか？

「早く、早く！」

「なにやってんの?!」

「いいかげんにしなさい！」

「なんでそんなことするの?!」

「ほら見なさい、言ったとおりでしょ！」

「もう、あんたなんか、あんたなんか……！」

私自身、まさにこんな言葉で子どもを怒りまくっていました。とくに3人の子どものうち、真ん中の娘はとびきりのダダっ子！　そのダダに私は何度、頭から湯気を出してキレていたことか。毎日起こるきょうだいゲンカや、しょっちゅう仕事をじゃましてくれる子どもたちに、何度声を張り上げてどなったことか。

いつも子どもに振り回され、イライラ、ガミガミ、ムカムカ……。煮えくり返るハラワタを力づくで抑え込み、怒りに震える右手を左手で止め、それでも発作的にカッとなって刃《やいば》のような言葉を投げつけたり、手が出ちゃうことだってありました！

そして、「また怒ってしまった……」と自己嫌悪に陥り、おまけに事態はちっとも変わらなくて途方にくれ、クタクタに疲れ果てていました。

子どもを怒りたくて怒っているお母さんなんて、いないと思います。できれば怒りたくない。でも、怒らずにはいられない。今日こそは怒らないお母さんでいよう、明日こそは怒らないお母さんになろう……。毎日そう思うのに、毎日怒っちゃう。そんな葛藤を日々くり返していたんです。

ところが3年前、私は「コーチング」に出会いました。いろいろな気づきがありました。新しい見方ができるようになりました。そして少しずつですが、子育てが変わってきました。とうとう、私の人生まで変わっちゃいました。

コーチングでどんなふうに子育てがラクになるのか、そして子どもにコーチングしてあげることができたらどんなふうに子どもが変わるのか、さらにひとりでも多くのお母さんにセルフコーチングを実践してもらえるようにと、具体的な方法もご紹介しました。

もし、あなたが毎日の子育てでイライラしたり、クヨクヨしたり、怒ってばかりいて悩んでいたら、きっとコーチングは力になります。

きのうより今日、今日より明日……。ちょっとずつ子どもの気持ちが見えてきて、自分の気持ちが見えてきて、一歩ずつ〝怒らないママ〟に近づけると思います。

もちろん100％怒らないでいることなんてできません。私だって、まだまだイライラしたり、ガミガミ言ったりすることはあります（笑）。でも、以前ほど怒りに振り回されることはなくなりました。

子どもって「もう、めちゃくちゃかわいい！」と思う時もあるし、「なんて憎たらしい！」と思う時もあります。楽しくて、うれしくて「私って世界一幸せなお母さん！」と思う時もあるし、「私って、きっと世界一不幸なお母さん……」と落ち込む時もあります。

でもね、かわいい時も憎たらしい時も、どっちもあって〝わが子〟なんですよね。

そして、やさしいお母さんだったり怖いお母さんだったり強いおかあさんだったり情けないお母さんだったり、いろいろあって〝私〟なんですよね。

いったん、そんな現状を受け入れられると、それだけで子育てはずいぶんやさしいものに変わります。

そこから、また始めましょう。もっと子どもを好きになれるように、もっと自分を好きになれるように、できることからスタートしてみましょう。

少しでもそのための力になりたいと思って、この本を書きました。

コーチングを始めて3年。子どものダダも、私のガミガミも含めて、「でも子育てって、やっぱり面白い！」。心からそう思えるようになった私が、ここにいます。

子どもに毎日怒っちゃうお母さん、イライラしちゃうお母さんこそ、私の同志です！　コーチングで一緒に〝怒らないママ〟になれる道を見つけていきましょう！

目次

第4章　子どもとの関係が変わった！　73

第5章　やってみよう！　子育てコーチング　93

第1章

ペコちゃんのダダに、お母さんはもう大変！

ダダ爆発!

「だからーっ!」

「だから、どうしたん?　なにが言いたいの?」

「だぁーかーらぁー!!」

「もう、なによ?!　だからばっかりじゃ、わからへんやん」

「ちーがーうっ、わからへんことない!」

「そんなこと言ったって……。どうしたいの?」

「どうしたいの、じゃ、ないのっ!」

「じゃ、なんなのよ?!　ペコが言わんとわからへんよ」

「ちがうっ、お母さんが聞いて!」

「……(さっきから聞いてるっちゅうねん)」

「もうっ、なんとか言って!」

「……（言ってって言われても、なに言うねん）」

「おかぁーさん、無視せんどってっ！　うぎぁーーっ！」

（道ばたに座り込んでいたペコ、とうとう寝転がって身もだえ）

（泣き声はますます激化。振り返りつつ、道行く人々）

（傍らでなすすべもなく立ち尽くす私。顔には疲労の色。深いため息……）


保育所の帰り道、きょうもペコのダダは絶好調！

もう、こうなったらなにを言ってもダメ。文字どおり話になりません。最初はなんとかペコの気持ちを理解しようとするのですが、ちっとも要領を得ず、結局、しまいにはこっちまで切れて、爆発してしまうのがお決まりのパターン。

「もう勝手にしなさいっ！　お母さんは先帰るからねっ！」

と、弟のポコだけ連れて帰るふりをするのですが、それで素直についてくるようなヤワな相手ではありません。10メートル離れようが、30メートル離れようが、ペコはテコでも動かず、それどころか泣き声はますます激しくなるばかり……。

ペコはダダの天才?!

ここで登場している〝ペコちゃん〟。当時は保育所のきりん組（4歳児クラス）で、ひとつ下のうさぎ組（3歳児クラス）には弟の〝ポコ〟がいる、年子のお姉ちゃんです。さらに小学校4年生にはお兄ちゃんがいて、いわゆる〝三人兄弟の真ん中っ子〟。しかも紅一点。おまけに獅子座のB型、丑《うし》年生まれ。

お兄ちゃんが明るく素直な（元気すぎるのが難点といえば難点でしたが）タイプで、「子育てなんて楽勝！」と思っていた私に、次に神様が授けてくださったのは、とびきり可愛く、そしてとびきり手強い天使でした。

とにかく好きなものはスキ！

嫌いなものはキライ！

欲しいものは欲しいっ！

感じ方も強けりゃ、それを表現するパワーも強い。うれしい時は叫んで走ってきて飛びつくし、悲しい時はそりゃもう大きな目から涙がポロポロこぼれます。

しかもダダをこねさせたら天下一品！　泣いて叫んでひっくり返って、道行く人の目を点にしてくれます。一度言い出したらもちろん後には引かないし、自分が納得しなければ妥協はしません。

「わかった、じゃ、今度してあげる」と言えば、

「今度っていつ？　何月何日？　忘れんようにいますぐ紙に書いて！」という調子。

機嫌がいい時も、その思いをストレートにぶつけてくれます。

「ペコはお母さんのこと、大、大、大好きっ！」

「お母さんはペコのこと好き？　どれくらい好き？」

「もっと、こっち向いて！」

「もっと、話、聞いて！」

「もっと、抱っこして！」

もっと、もっと、もっと……。その激しさに、そのパワーに、私はただただ圧倒さ

れ、振り回されていました。

正直に白状すると、なんだかそれは、喉元に刃《やいば》を突き付けられるような想い。

「もう、これ以上迫られると、私の方が持たへん。誰か助けてぇ〜」

たとえばそんな感じでしょうか（笑）……。そんな大げさな、と思われますか？

たかが5歳の女の子のダダに？　そう、たかが5歳！　されど5歳!!

10分の道がなぜ1時間?!

きょうも結局、最後はまた仕方なく戻って、泣きわめくペコを力づくで引っ張って帰るはめに（泣）……。この後、私たちはスムーズに家まで帰れたのでしょうか？

いえいえ、事はそう簡単には終わりません。このダダはほんの序章に過ぎなかったのです……。

途中でスーパーに立ち寄れば、まず入り口でカートの取り合いが始まります。

「ペコが先に乗るっ！」

先に乗ろうとしていたポコの足を引っ張り、引きずり降ろそうとするペコ。

「わかった、わかった！　危ないから引っ張らんといて。じゃ、先に乗っていいけど、その代わり途中で交替するんよ」

まだ泣いているポコをなだめすかしてペコを乗せ、買い物を始めても、今度はいっこうに替わろうとはしません。ぐずり出すポコ。頑として席を死守するペコ。


「どうして替わらないの、約束でしょ」

「だって、もっと乗りたいもん！」

（あんたは王様か！　あんたがルールか！）

「そんなこと言ったって、ポコだって乗りたいでしょ！　ペコだけは、ズルイよ。さ、降りなさい！」


力づくで降ろそうとすれば、徹底抗戦の構え。

「早くしないとお菓子買う時間、なくなっちゃうよ！　知らないよっ！」

さんざんカートでぐずってぎりぎりまで乗った後、今度は掌を返すようにお菓子売り場へと駆け出すペコ。

おまけつきのお菓子をひとつずつ買ってもらってニコニコとレジを過ぎ、「ああ、なんとか無事に買い物を終えた……」と安堵していると、突然ペコの叫び声が。


「あーっ、ペコがおつり、もらいたかったのにぃ〜！」

「あ、ごめん、ごめん。今度してもらうね」

「やだーっ、ペコがもらうー。もいっかい、レジ行ってぇー」

「ムリよ、だって、もう人がいっぱい並んでるし。また今度ね」

「やだぁ〜〜〜っ！」

「………」


そう叫びながらも、ポコがお菓子から取り出したおまけに目をつけたペコ。

「それ貸してっ！」

言うが早いか、ポコのおまけを横取りし、今度はポコが負けじと大泣き。

「どうして取るのっ！　ポコのでしょ。あんたのはこっちでしょ！」

「貸してって言ったやん」

「じゃ、あんたのも貸したげなさい」

「いやっ、ペコのはペコの！」

「じゃ、ポコのはポコに渡しなさい！」

「いやっ、ポコのもペコの！」

「…………（絶句）」


スーパー中の注目を集めながらようやく買い物を終え、帰り道でまたモメたり、ダダをこねたり、叫んだり、怒ったり、をくり返し、家にたどり着いたのは保育所を出てから ゆうに1時間を過ぎた頃。普通に歩けば10分なのに……。こんなハードな日々を、私は毎日毎日くり返していました。

わかっているのに、変えられない！

実は、その頃、私はライターとして雑誌で子育て相談のページを担当したりしていました。専門家の方の「真ん中の子は愛情不足になりがち。頭ごなしに怒ったりせず受け止めて」なんていう原稿をまとめたりしていました。

おかしな話ですよね（笑）。

さまざまな子育ての専門家へインタビューする機会もありました。いろいろな子育ての本も読みました。インターネットでたくさんの情報にも触れました。

でも、実際にペコのダダを前にしては、結局実践できないで、

「もうっ、どうせいっちゅうねん！」

「私の愛情不足なんやろか……」

「やっぱり、私はお母さんには向いてへんのかも」

「全然あかん。子育ての原稿なんて書いてて、ええんやろか……」

と、ますます落ち込むばかり。

子どもの気持ちを聞いてあげて、感情的にならないで、しっかり話せばきっと子どももわかってくれるはず、なんて。


(でも、ペコの言い分はちっともわからへんし)

(感情的になるなって言っても、腹立つのは仕方ないやん)

(話そうとしても、ペコはちっとも聞いてへん!)


本を読んでいると、なるほどと感心はするものの、いざやろうとしてもできない、うまくいかない。もし、たまたま上手くいったとしても、続かない、また忘れてしまう。そんなことのくり返しでした。「きょうこそは! 今度こそは!」と思いながら、いつも同じようにダダに振り回されてしまっていたのです。

そんな、怒る↓落ち込む↓イライラする↓ペコのちょっとしたダダにも腹が立つ↓また怒る↓という悪循環の毎日。

人間、「わかっていること」と「できること」は違う！

結局、「こうすればいい」とわかっていても、それを毎日の生活の中で実践していくのは相当難しいということが、身にしみてわかったのでした。

考えてみれば、それは子育てにかぎらず、すべてのことにおいて言えるのでしょう。でも、子育てってそれこそ24時間、３６５日続くものだから、身近すぎてかえって難しいのだと感じます。

私は、その狭間にはまり込んで、それこそペコのダダのように身もだえしていたのかもしれません。

毎日がいっぱいいっぱい！

そういえば、こんなこともありました。３人の子どもを連れて近くの市場へ買い物に出かけた時のことです。そう親しいわけでもない八百屋のご主人から、

「おくさん、まいどっ！　子どもさん３人？　いや、大変やねぇ。ちゃんと元気に育

てて、えらいねぇ」

そう声をかけられたんです。ご主人にすれば、なんてことない通りすがりのセールストークだったのでしょう。

ところが私はといえば、

「いえ、もう、元気なだけが取り柄で」

とかなんとか答えながら、でも胸がきゅんとなって、鼻の奥がつーんとしてきたんです。「大変やねぇ。えらいねぇ」という言葉が、心の奥深くのなにかをノックしたかのようでした。

びっくりしました。そんな言葉で涙が出そうになってしまったことに。そして、なによりもそんな自分自身に驚きました。

きっと私は、そうやって誰かに認めてもらいたかったんでしょう。ほめてもらいたかったんでしょう。

本当に、いっぱいいっぱいだったんだと思います。誰かに心をつかれると、それだけで気持ちがあふれ出てしまうように。あるいは大きく膨らんだ風船が、ちょっとしたキッカケで突然パーンと割れてしまうように……。

その時、私がなによりも必要としていたのは、その状態をわかってくれること、受け止めてくれることだったんだと、いまにして思うのです。

お母さんのつらさは、わかってもらえないつらさ

私の場合は、仕事をしていたこともあって、つねに時間に追い立てられているような状態でのダダとの攻防であり、苦しさでした。

一方でそれが、「もし私が仕事をやめて、ずっとペコといっしょにいたら、こんなにダダをこねることはないんじゃないか」と、自分を責める材料にもなっていました。

でも、こうした子育ての悩みは、もちろん、専業主婦になったから解決するというものでもありません。家にいる時間の長いお母さんには、そのお母さんなりの悩みがあり、苦しみがあるでしょう。

実際に、子どもと四六時中ずっといっしょにいることがつらかったり、周りからの

「専業主婦なら、家事も育児もしっかりやって当たり前」といった無言のプレッシャーがあったり、自分の自由な時間が一日に10分も持てなかったり、というさまざまなつらさが、また生まれるものだと思います。

そして、そんなつらさをひとりで背負い込まないといけない状況。さらに、それを誰にもわかってもらえない状況があると、子育ての悩みはどんどん巨大化、深刻化してしまうのだと思うのです。

「ダダ」は大物になるしるし?!

そんな毎日が続いていたある日、落ち込んでいた私を見かねてか、保育所の先生がふと、こんな言葉をかけてくれました。

「確かにペコちゃんは、なかなか手強いけど、お母さんの手に負えないってことは、お母さんの手の中におさまりきれないくらいスケールが大きいってこと。きっと将来、大物になるわよ（笑）」

そうか、そんな見方もできるんだ……。私はなんだか、少し肩の力が抜けたような気がしました。

それまでも自分なりに「ダダをこねるっていうことは、感情を表現しているっていうこと。感情を表現できずに溜め込んだり、うわべだけいい子になるより、ずっといいはず」と考えようとしてきました。

でも……。だけど……。やっぱりしんどいし、良くならない……。

そんな堂々めぐりだったのに、先生のそのひとことは、なぜか心にすうっと入っていったのです。前の八百屋の時と同じですね。

きっと、私のしんどさをわかってくれた上での言葉だったから、自然に受け止めることができたのだと思います。

「私よりスケールが大きいんだったら、私のコントロールの範囲を超えてもしゃーないか。どっちみち、私が管理したり、コントロールしたりしようとするのが間違ってるのかもしれへん……」

それからでしょうか。私の、ダダを見る目が少しずつ変わっていったのです。そして、「他のお母さんたちは、ダダに対して、いったいどうしてるんやろ」という疑問が湧いてきて、前にも増していろいろな情報を集め始めました。

コーチングとの出会い

そして、ある日、インターネットで目にしたのが「お母さんのためのコーチング」という言葉でした。それまでコーチといえば、スポーツのコーチしか知らなかった私には、なんのことだかちんぷんかんぷん。

「相手の目標実現をサポートするコミュニケーションの技術」

「話をじっくりと聞き、効果的な質問をすることで、その人の中にある答えを引き出す」

「お母さんは、子どもにとって最も身近なコーチ」

あれこれ読めば読むほど、頭の中には「?」マークがいっぱい浮かびます。でも、なんだか子育てに良さそうな気がします。現状を変えるきっかけになってくれる、そんな予感がします。

私はさっそく、ネットで探した最上輝末子《もがみきみこ》コーチのサイトに「お試しコーチング」の依頼メールを送ったのでした。

第2章

子育てに
コーチングって効くの？

コーチング初体験！

あれは忘れもしない、２００３年2月のこと。

私は、あらかじめメールで打ち合わせていた時間に最上《もがみ》輝未子《きみこ》コーチに電話をかけました。

まずは、1時間の無料お試しコーチングを受けるためです。

どんなものになるのか……、なにを話せばいいのか……、ちっとも具体的にはわかっていなかったけれど、不安よりは好奇心の方が強くて、とにかくワクワクしていましたね。

そして、「お待ちしてました！」と電話を受けてくれた最上コーチに対して、いやぁ、しゃべること、しゃべること……！

ほとんど1時間、私は仕事のこと、家庭のこと、子育てのあれこれや自分の生い立ち、コンプレックスの話まで、怒濤のごとくしゃべっていました。顔も見たことのない初めての相手に……！

その時思いました。

あぁ、私って、こんなにしゃべりたかったんだ、って。

こうして知らず知らずのうちに心にため込んでいたことを外に出すだけでも、結構すっきり＆さっぱり（笑）！

でもまあ、ここまでは普通に「友達にグチを聞いてもらってストレス解消」するのとそう変わらないかもしれませんね。

でも、友達はたいてい〝自分のこと〟もしゃべります（当たり前だけど）。さらに、アドバイスや経験談もしゃべります（もちろん良かれと思って）。

だけど、コーチは、ただしっかりと、とことん、聞いてくれる。

うーん、その心地よさ！　ここですでに私は、コーチの術中にまんまとはまっていたのかもしれません。

ペコのダダをなんとかしたい！

コーチはまず「川井さんは、コーチングを通してどんな目標を達成したいと思っているんですか？」と、質問を投げかけてくれました。

そう、いちばんの気がかりは、やっぱり子育てのこと。

当時、10歳（男）、5歳（女）、4歳（男）の三人きょうだいに振り回されて、もういっぱいいいいっぱい。

とくに日々のペコとの攻防に心身ともにクタクタ。

確かに真ん中の子は、上下にはさまれた難しいポジションで、おまけに下の〝ポコ〟とは1歳4カ月しか離れていない年子。

ペコは1歳4カ月にしてすでにお姉ちゃんになって（ならされて？）、どうしても手のかかる弟に、母の愛情を奪われていると感じていたのでしょう。

でも、あまりにもストレートなその愛情表現に、はっきり言って私はついていく余裕がなかったんですね。その激しさに、ただただ、私は翻弄《ほんろう》されていたような気がします。

目的は、子どもとのコミュニケーションの改善。いや、もっとはっきり言えば、

「ペコのダダをなんとかしたい！」

というただ一点。

こういうことのひとつひとつを、最上《もがみ》コーチはじっと聞き続けてくれました。批判したり、すぐに「こうしたらいいのよ」などとお説教めいたことも言わず、ただただひたすら私の気持ちを聞き続けてくれたのです。

「5歳の子どものダダをなんとかしたい！」という、他人が聞いたら「そんなことくらいで悩まなくてもいいのに」と言われてしまいそうな私の切実な気持ちを、最上コーチは真剣に聞いて、受け止めて、共感してくれたのです。

話していくことで頭がすっきりしていくことのあまりの心地よさに、私は結局、そのまま継続してコーチングを受けることにしました。

週に1回、月曜日の朝10時に私からコーチに電話をして、約60分のセッションを受けることにしたのです。

コーチングは、コーチと話しながら自分がやりとげたい目標を設定して、自分がどうやってそのゴールを達成するかをコーチと一緒に考えていく、というもの。

次回のセッションまでにどんなことをやっておくか、自分で課題を出してコーチと約束し、次のセッションでは課題ができたかどうかコーチに報告します。

そして、できなかった課題はどうしたらできるかをコーチと話し合うことで、次のステップをまたのぼっていくというもののようでした。

そして、ペコのことで疲れきっていて、もがいてもどうしていいかわからない……。そんな気持ちでワラをもつかむ思いになっていた私に、コーチは「新しい見方」を提示してくれたのです。

コーチングがくれた「客観的な視点」

その新しい見方とは、「客観的な視点」でした。

それは、こんな、コーチからの問いかけがきっかけでした。

「それじゃあ、そのダダの時のペコちゃんとお母さんの会話をできるだけ思い出してください」

え？　会話？　えっと、その、あの、確かー。

それで気がついたんですが、私は会話の内容をあまり覚えていなかったんです。

ひょっとしてこれは単に私の記憶力の問題？

いやいや、きょうのことでもペコがなんと言い返したか、あいまいで、私が感じた「またか、というウンザリした気持ち」「怒りやイライラ」「最後にはまたみじめなイヤーな気持ち」そんな感情の記憶ははっきり残っているのに、ペコの言葉がどんなものので、私はそれにどう答えたのか、それがあいまいで、ぼんやりしている……！

これって、結局、私はペコの話すらまともに聞いていないってこと?!

自分でも驚きました。それほど、イヤな感情が先走っていて、冷静に話を聞くとか、客観的に相手を見るなんてことが、見事にできていなかったんです。

これが、コーチングを始めて、最初の大きな気づきでした。

私は、自分の感情の波に巻き込まれてしまって、ペコの言うことをちっとも聞いていなかったんだ……。


この気づきから、少しずつ、ペコを、ダダを、客観的にとらえる道筋が見えてきました。それからの私は、確かにちょっと変わったのです。いえ、変わることへの第一歩を踏み出した、と言えるでしょうか。

ダダが始まりそうになると、「お、来た、来た！」と思う。

ペコがなにか言いがかりをつけ出すと、話をしっかり聞いて、「コーチに報告しなくっちゃ！」と考える。

そう思うことで、不思議と少し距離がおけるのです。そして、感情的にどっぷりとダダに巻き込まれてしまうことが徐々に減ってきたのです。

もちろん、だからといってすぐにペコのダダがおさまったわけではありません。

でも、それからだんだんに、ペコと私の関係がずいぶんやさしくなって、私自身もうんとラクになったのは確かです。

たとえれば、私の肩の斜め後ろくらいに、いつも背後霊のようにコーチがいて見守ってくれているみたい。そして、ときどき私もそこに立って、いっしょにペコと私のやり取りを見ている感じなんです。

「ウチの子」と思うと腹もたつけど、「よその子」と思えばなんてことないじゃん、なんて思うこと、あなたもありません？

そう、それ、それ！

もちろんこれを全部自分ひとりで意識してやれている人もいるんだろうな、と思うのですが、なかなか大変です。少なくとも私にはできなかった。

そういう意味でコーチングは、私にまず客観性という「始めの一歩」をくれたのかなあ、と思います。

子育てコーチングには「くり返し」が効く！

コーチングが最初に私にくれたものがもうひとつ。それは、何度も自分を振り返る時間をくれるということでした。

落ちたウロコも、時がたてば、またくっつくもの。その時は「そうか、なるほど！」「これで私の子育ては変わる！」と感激しても、その感動はなかなか続きません。

「人間、わかっていることと、できることとは違う！」と前に書きましたが、同じように、「人間、一度できたから、ずっとできるとは限らない！」

たとえば私が、客観的な視点を持ってペコとの対応を見つめることができたとしても、日々のバタバタやアタフタの中で、それもだんだん忘れてゆく、薄れてゆくわけです。

ところが、コーチングは否が応でも、週1回、いろいろな気づきや発見や感動や約束を思い出させてくれます。再びリマインドさせてくれるのです。これがまた、忘れっぽい私にはぴったり（笑）！

毎週月曜日の朝10時。コーチに電話を入れると「お待ちしてました！　この一週間、ペコちゃんのダダはどうでした？」とコーチ。

「聞いてくださいよー。実はこうこうこういうことがあって」と報告したくてウズウズしていたことを話す私。

「……でもまあ、この一週間はなんとか私もカッとならず、決定的なダダもなかったんです！」と、嬉々として報告する私。

「良かったですねー。じゃ、今回うまくいった、その勝因はなんだと思います？」とコーチ。

「え、勝因ですか。そうやなぁ……。ひとつにはやっぱり客観的に見ることができて、ペコの感情に巻き込まれなかったこと。

それと、最近仕事がそう忙しくなくて時間的に余裕があったのが、気持ち的にも余裕につながったというか、そんな気がしますね……。

あっ、そうか！　ということは、つねに自分で意識して、まず時間的に余裕が持てるよう、心がけろってことですよね！」と、目からウロコ状態の私。

「なるほど。自分で余裕をつくるんですね？　それはいつから実行します？」

「じゃ、さっそく明日からやってみようかな。朝30分、早く起きてみます」

「明日から30分早起き、と。ちゃんとメモしておきますので（笑）、またその結果、報告してくださいね」

という具合。

毎週、コーチングのセッションのたびに、自分の取り組むべき目標を思い出し、具体的な次の課題を決めていき、また次の週に進み具合をチェックする……。なんとなく、感じをつかんでいただけるでしょうか。

もちろん、すべてがこんなふうにスムーズに進むわけではありません。問いかけられても「う〜ん」と考え込んだまま答えの出ないこともあります。また、必ずしもすぐに具体的な行動につながるとは限りません。

でも、話しているうちに、思いがけないきっかけがつかめることはよくあります。もつれてこんがらがった糸でも、あちこち引っ張ったり、緩めたり、眺めたりしているうちに、「あ、ここか！」というもつれの原因が見つかりますね。固い固い結び目も、だんだん緩んでくれれば、あとはもうスルスルとほどけていくものです。

そんな実感を、なんども経験しました。

こんな時間を、毎週毎週持つことができる……。

それはただ〝それだけ〟で、私に安心感と元気をくれたんです。

こういう反復の大事さについて、最上《もがみ》コーチはメールマガジン『タオとアービーの実録！子育てコーチング』の中でこう説明しています。

＊　＊　＊

継続こそ力なり！　昔からくり返されてきたこの言葉。みんながわかっているけれど、できている人ってひと握り。私が、企業研修の中で必ず使う〝エビングハウスの忘却曲線〟によれば、人のアタマは3日たてば忘れるようにできているんだそうです。だからこそ、試験勉強なんかは、くり返しくり返し反復練習する必要があります。

コーチングでは、一週間に一回、あるテーマについてコーチと話すことによって、忘れかけていた記憶を蘇らせます。さらに、前回に交わした宿題を一週間意識して過ごすことを加えて、毎週毎週少しずつでも目標に近づくことをサポートします。

このくり返しが、継続を本当の力にしてくれるのです。

＊　＊　＊

私にまず、〝客観性〟をプレゼントしてくれたコーチングは、次いで〝継続性〟という贈り物を授けてくれたようです。

ひとりじゃないから続けられる！

子育てって、なんだかマラソンに似ています。

長い長い道のりを、先も見えないまま走る。山あり谷あり、晴れの日あり、雨の日あり。風の日もあれば、台風の日だってあります。どんなにしんどくても、体調が悪くても、すっぱり「やーめたっ！」と棄権することは許されません。

この長いコースを、あなたはたったひとりで完走することができますか？

私は思うんです。実際に走るのは自分でも、一緒に走ってくれる人がいれば、そのつらさは半分になるって。その喜びは二倍になるって。

子育てのコーチングをするコーチは、この〝伴走者〟に似ています。

沿道で旗を振って応援してくれる人ではなく、同じ伴走者でも車の上からメガホンを持って指示やアドバイスをしてくれる人でもなく、ただ一緒に走ってくれる。横で同じように息をして、同じように坂道のつらさを味わい、同じようにゴールの喜びを感じてくれる……。そんな存在が、私にはコーチにだぶって見えるのです。

もちろん、時には具体的な指示やアドバイスも効果的でしょう。時には走るのを誰かに代わってもらうことも必要かもしれません。でも、毎日続くマラソンには、まず伴走者がいて欲しい。その存在がなによりも力になるのです。励ましになるのです。

コーチングを始めて、私はそんな元気と安心もプレゼントしてもらいました。

「もう私には、そんな心強い伴走者がいるわよ」

という方はとてもラッキーです。でも、夫にせよ、母親にせよ、友人にせよ、伴走者は多いに越したことはありません。

そして、お母さん自身がコーチングを学び、身につけることで、お母さんは子どもの素晴らしい伴走者にもなれるのです。

次の第3章では、私がコーチングを始めて、実際に子育てがどう変わったのか、子どもたちがどう変わっていったのか、そんな話をご紹介していきたいと思います。

第3章

なんだか子育てが変わってきたみたい?!

ペコが弟を叩かなくなった！

最上輝未子《もがみきみこ》コーチという「背後霊」に見守られながら、毎週、コーチングのセッションを続け、なんとかペコのダダや感情の嵐に巻き込まれないようにと客観性を心がけてきた私。

日々あいかわらず、いくつもいくつも問題は発生するのですが、コーチングを使ってひとつひとつの問題に向き合ううちに、どんどん解決方法が見つかって、子どもたちの気持ちが前よりもよく見えるようになっていきました。

たとえば、ペコがポコを叩くこと。

わがままざかりの子が3人もいるのですから、そりゃもう、小さなイザコザは日常茶飯事。なかでもペコが幼いポコに対して叩いたり蹴ったりすると、私もつい黙っていられなくなります。

おもちゃの取り合いや、言うことを聞かなかったから、などの理由で、ちょくちょくペコはポコに手を出します。

お互いにやり合っているなら、少々はいいか、とも思うのだけど、ポコは手を出さず、逃げ回ったり、泣いたり。

それを2度、3度と叩くものだから、私もついつい「やめなさい！」とどなってしまうんですね。

実力行使で振り上げた手を止めても、かえってムキになって叩こうとするペコ。これがまた、けっこう力が強い（泣）。

「なんで、あんたはすぐ叩くの！」

「だってポコがおもちゃ渡さへんからっ！」

「口で言いなさい、口で！」

「言うたけどくれへんもん！」

「でもこれポコのおもちゃでしょ」

「だって、交換するって言うたもん！」

「だからって、叩かんでいい！　あんたはいっつもそうやねんから！」

そう話しながら、抑えていた手を離すと、再びポコに襲いかかるペコ。

「もおーっ！　いいかげんにしなさいっ!!」

そんなワンパターンを、これまた毎日のようにくり返していました。


そこで最上《もがみ》コーチが提案してくれたのが、「私メッセージ」という伝え方。

あなたは○○だから。

あなたは○○でしょ？

あなたは○○○しなさい！

あなたはどうしていつも○○なのっ?!

こんなふうに全部「あなた」が主語になっているのが「あなたメッセージ」。私がペコに言った言葉も、主語が抜けていたりするけれど、すべてペコに対しての一方的な指示や批評になっていたんですね。これに対してペコはことごとく「だって……」と反論しています。これじゃ、コミュニケーションにならない、伝わらない。いわゆる〝売り言葉に買い言葉〟で、どんどんエスカレートするばかり。

頭ごなしに子どもになにかをさせようとしても、それはかえって逆効果。一方的に責める口調、非難する言い方だと、その時点でもう子どもは聞く耳を持たず、耳をふさぐか、臨戦体勢になってしまいます。

それに対して「私メッセージ」は文字どおり「私」が主語。
私はこう思う。
私はこう感じる。
私はあなたにこうして欲しい。
そんなふうに「私」を主語にしてメッセージすると伝わる、らしい。

それ以来、わたしはいつも意識して、とにかく「ペコがポコを叩くと、お母さんは悲しい」「お母さんはやめて欲しい」そうくり返したんです。

そして一週間か二週間ほど経った頃でしょうか。また二人がモメそうになった時、私が口を開きかけると……

「わかってるって。ペコが叩いたら、お母さん、悲しいんやろ」

ペコが自分からそう言って、「しょうがないなぁ」とでもいうふうに、手を引っ込めたんです。

（ちゃんと通じてる！　わかってくれた！　効果あったやん！）

ちょっと感動しました。

その後、ずっとペコの手や足が出なくなったというわけではありませんが（残念ながら）、それでも私には、コミュニケーションのコツが少しわかったような気がしたのです。

ふーん、余計なおせっかいはいらないんだ

きょうだいゲンカといえば、こんなこともありました。

私が洗面所で洗濯物をたたんでいたら、ペコが泣きながらやってきました。

「お兄ちゃんが叩いたぁ！　ペコなにもしてへんのにぃ……」

これまでなら、いっしょにお兄ちゃんのところに行って、どういう状況だったのか、どうして叩いたのか、お互いの話を聞いて（でも、結局よくわからないことも多いんだけど）、たいていお兄ちゃんが怒られるパターンでした。

とにかく母親が判断して、解決しなければならないと思い込んでいたんですね。

でも、コーチングを通して「子どもがなにかを訴えかけてきたら、まずその気持ちを受け止めて。言葉をリフレインする（くり返す）と効果的よ」と最上《もがみ》コーチからアドバイスを受けていたので、それを早速実行。

「そっか、お兄ちゃんが叩いたん？　痛かったねぇ」と抱っこ。

「うん、思いっきり、ここ、バーンって」とペコ。

「そう、ここ？　バーンってやられたの？」とヨシヨシ。

そして、

「でもお兄ちゃん、叩くのはアカンなぁ」と言うと、なぜかペコが、

「でも、私もときどきポコのこと叩いちゃう」なんて言い出しました。

(おっ?! なんだかきょうは素直モードだぞ)と思いつつ、

「そっか、叩いちゃうんだ?」と聞くと、

「うん。ポコはかわいい。でも叩いちゃうの。そんな時、やさしいペコはお出かけしてるんやと思う」

そんなことを恥ずかしそうな笑顔でしゃべったかと思うと、ペコはまたお兄ちゃんたちのところへ、機嫌よく戻っていったのでした。


それで気づいたんです。

「そっか、ペコはいま泣きながらやってきたけど、ケンカを止めたり、お兄ちゃんを叱って欲しかったわけじゃないんだ」って。

「ただ痛くて、悲しくて、悔しい。その気持ちを受け止めて欲しかっただけなんだ」って。

それ以来、ペコが泣いてきても、ポコが泣いてきても、まず抱っこして、話を聞い

て、ヨシヨシしてやる。それだけでまず8割はOK！　たいていはケロッとして戻っていきます。

なーんだ、そういうことなんだ……。これまた私には大きな発見でした。

抱っこだけでもいいみたい

この時は、ペコの訴えに対して、そのままリフレインを返すことで気持ちを受け止めた私でしたが、しばらくしてもうひとつ気づいたことがありました。

それは、必ずしも言葉は必要じゃない、ということ。時には言葉がなくても、子どもを受け止めることはできるんだ、ということでした。

ある日、今度はポコが、ペコに泣かされて仕事部屋にいる私のところへやってきました。

いつもどおりに抱っこされたポコですが、なんだかきょうは「ペコがどうしたこうした」とは言いません。ただ黙って抱かれているので、私もただ黙って背中を撫でていました。

そうしたら2、3分後、泣き止んだポコはなにごともなかったかのように子ども部屋に戻っていったんです！

これまた「なーんだ、そういうことなんだ……」と発見をした私。

きっと抱っこされただけで、悲しさや悔しさが溶けていったんでしょうね。

抱っこは、まるでマイナスの気持ちを地面に逃がすアースみたい。

抱っこは、まるで元気をチャージしてくれるガソリンスタンドみたい。

（ポコは、抱っこされて、また元気を取り戻したのかな）

そう思うと、なんだか私は自分がガソリンスタンドになったようで嬉しいような、くすぐったいような不思議な気分でした。

だんだん見えてきた、ダダへの対処法！

さて、コーチングの主要テーマだった〝ダダ〟は、その後、どうなったでしょうか。

一カ月、二カ月と経つにつれて、私の気持ちはどんどん軽くなっていきました。「喉元に刃《やいば》を突き付けられるような気持ち」も、みるみる和らいできたんです。

コーチングのセッションでの私の報告にも、

「この一週間は、決定的なダダにはならなかったです！」

「ダダが始まっても、大泣きにならずに済む状態が2、3回ありました」

「今週もペコの爆発はなかったんですよ」

な～んて言葉が少しずつ増えてきました。

それまでは、ホントにちょっとしたことでダダが始まると、いくらこちらがペコの気持ちを理解しようとしても、話がわからない、言い分もコロコロ変わる、といった状態。

最初は聞き分けよく、〝やさしいお母さん〟をやっていても、そのうち声も荒くなって、詰問調になってくる。

「なにが言いたいの!?」「どうしてわからへんのっ？」って。ペコはペコで「だぁーかーらっ‼」と爆発モード。

お互いの話はかみ合わず、とうとうイライラがピークに達した私は、

「いいかげんにしなさいっ‼」

あるいは、

「もう勝手にしなさい！　お母さんは帰るからねっ」と歩き出し、最後はペコ、大泣き。

私、マジ切れ。

のち自己嫌悪、最後にはクタクタ……。

というのを毎日、律儀にくり返していました（笑）。

そんな果てしないダダとの攻防を、ちょっと客観的に見ることで、ひとつ気づいたのは、ペコの言い分（因縁と言ってもいいかも？）を理解しよう、そしてそれを理詰めで説得しよう、などと考えない方がうまくいく、ということでした。

相手の挑発に乗らないように心がけながら、とにかくこちらの主張だけを、怒らず、淡々と、くり返す。無視するのでも、冷たく跳ね返すのでもなく、「ただ、これだけは譲れないんだ」と、自分が〝壁〟になった気分で応戦するのです。

そう、たとえばこんなことがありました。

お休みの日に、市営のプレイランドに行った時のことです。

ペコがお絵かきをしている間に、お兄ちゃんとポコはコンピュータ・ルームで遊んでいました。そして自分たちで作った絵を印刷してきて見せたのです。

「私もするっ！」とガゼンやる気になったペコ。

ただ、もうお昼時だったので、

「わかった、お弁当食べたらペコも行ってみようね」と約束。

しかし甘かった……。

その後コンピュータ・ルームへ行ったら、団体さんが来ていたのか、なんと2時間待ち！　と言われてしまいました。

ここでダダ爆発です。

「いやだー。ゼッタイやるー！」

「するって約束したやんか」

「ポコだけずるい〜〜〜!!」

これまでの私だったら、2〜3回説得してみて、それでも言うことを聞かなかったら、負けじと爆発していたと思います。

でも、この時の私はちょっと違っていたんですねぇ（笑）。

「約束したのにゴメン。だけど、2時間は待てないから、きょうは帰ろう」

これをひたすら――少なくとも10回は――くり返しました。

たくさんの人が通っていくエレベーターホールで、大泣きして叫ぶペコを前に、つとめて平静を装って約10分間……。

すると、ペコは泣きながら、どなりながら、こう言ったんです。

「じゃあっ、こんど来た時、コンピュータいっぱいするからねっ!!」

記念すべき勝利の瞬間でした。

最終的な「代案」は子どもの口から言わせる

この体験からいろいろなことを学びました。

まずは「強烈なダダには壁になって対抗する」ということ。

そう、ひたすら感情的にならないように、
そう、ひたすら耐える、耐える、耐える……。
そう、自分が〝ぬりかべ〟（『ゲゲゲの鬼太郎』のキャラですね。若い人はきっと知らないんだろうなぁ）になったような気分で……。
（子育てって、本当に忍耐力の修行みたいですよね）

そうすると、ペコだって、泣き叫びながらこう思うのでしょう。
「こりゃ、いくらダダをこねてたって、ムダみたい」と。
しかしこんな時、よくお母さんは解決策を提示しようとします。
たとえば「オモチャ買ってー！」というダダなら、
「今度、誕生日に買ってあげる」とか
「お父さんに聞いてからね」とか
「お菓子ならいいよ」とか。
実は私もしょっちゅうこの手を使っていました。
だけど、これはペコの場合、ダダのごく初期ならともかく、ヘビー級のダダとなる

と沈静化どころか、

「ちーがーうーっ！」とかえって激化することもしばしば。

でも私がガマン比べにだいぶ強くなってきた頃に、ひとつの変化があったんです。

そう、それが前回のプレイランドの例で言えば、ペコが泣きながら、どなりながら、「じゃあっ、こんど来た時、コンピュータいっぱいするからねっ!!」と、自分で代案を出したというパターン。これまた、目からウロコのことでした。

「そっか、人から言われた代案は、なかなか呑めへんけど、自分から言うた代案は、それで納得するわけやねんな！」

と気づいたわけです。


考えてみれば、大人でもそうですよね。興奮状態にある時に、たとえ理想的な代案を提示されたとしても、「じゃ、それでいいですっ！」とは言えません。

ということは、ダダをこねながらもペコは代案を考えていたわけで、ペコ自身も、ダダをおさめる潮時を待っていたとも言えるわけなんですね。

だけど、人から言われた案に同意するのは、どうもくやしい。

面白いもんですね。ちょっとだけ客観的になれたことで、これまで見えなかった子どもの気持ちが、いろいろと見えてくる。

これまた、次のコーチングの時に、最上《もがみ》コーチに早速報告。

「壁になったら、あれこれ代案は言わず、解決策はペコ自身に言わせる、っていう法則を見つけました！」って（笑）。

もちろん、これはわが家のペコの場合。

すべての子どもにこの法則があてはまるかどうかは、確信がありません。

でも、こんなふうにパターンを発見しようという気になってくると、ダダもちょっとゲームっぽい……。

そうやって、ダダとのやり取りを見ている中で、発見したものをまとめてみると……。

●ダダを力づくで押さえつけようとするとかえって激化する。

●まずはペコの気持ちを受け止めることが大事（でも、これは本人がすでに抗戦モードに入っているとあまり効果なし）。
●ペコの言い分にあまりこだわらない（ほとんど因縁みたいなものだから）。
●言葉を理解して、理詰めで説得しようとしてもダメ。
●譲れないところは〝壁〟になって対抗する。
●代案はできれば本人の口から言わせる。

どんなお家でも、「うちはどうやらこのパターンらしいゾ」という法則を見つけ出すつもりで観察してみると、お母さんをラクにしてくれる新しい発見があるかもしれません。

そんな観察と実践のおかげで、振り回されてフラフラ&クタクタになる状況から、ちょっと抜け出せた私なのでした。

あぁ、コーチングやってて良かった！

この章の最後に、私が心から「もし、コーチングを知らなかったら、いったいどうなってたやろう。あぁ、コーチングやってて本当に良かった」と思った出来事をご紹介しましょう。

さて、どんなお話だと思いますか？　主役はもちろんペコです。

花の小学生になって元気に登校していたペコ。

保育所時代とはちがって、8時には家を出て、6年生のお兄ちゃんといっしょに目と鼻の先にある学校まで歩いていくのが決まりです。

いつもパワフルで言いたい放題、好奇心もまんまんといった感じのペコですが、意外と〝初めての環境〟には弱いようで、初日には、お兄ちゃんに少し遅れてしずしずと歩き、「なんもしゃべってなくても、なんかペコの緊張がジワーッと伝わってきたわ〜」なんてお兄ちゃんに言わせていました。

でも、一週間もすればクラスのお友達も増えて、自由帳に10人くらいの名前を書いて帰ってきて、「これ、きょう、みんなお友達になった！」とニコニコ報告してくれたり。

毎日、放課後には学童保育所に行ってクタクタになるまで遊び、晩ごはん前にはソファで爆睡したり。まあまあ順調に、学校生活に慣れている様子だったのです。

ところが……

ついに……というか、

とつぜん……

3回目の月曜日の朝でした。

いよいよ着替えて、もう行くよ、という時、

「やっぱり、ペコ、学校行きたくない！　行かへん！」

そう言い出したんです。

(ひぇ〜っ、もう登校拒否?!　いつかはこんな日も来るやろうとは思っていたけど、まだ10日しか学校行ってへんやんか〜〜)

私はひっくり返りそうになりました。

「なに言ってんの、お兄ちゃん、もう行っちゃうよ」

最初は軽くそう流してみましたが、ペコは洗面所に座り込んだまま、動く気配がありません。どうやら単に眠いだけ、とか、めんどうくさいというのではないようで

す。

お兄ちゃんはしびれを切らして先に行ってしまいました。

時間は8時10分……。

「なに言ってんの、なんで行きたくないの！」

一度はそう言ったものの、母の心は千々に乱れます。

疲れもあるのかもしれない、休ませようか。

いや、ここで甘やかしたら、休めるもんやと思ってしまうかも。

いやいや、違う違う！

ここで、最上《もがみ》コーチに言われていた、「承認」の大事さを思い出しました。

子どもの「こうしたい！」というとおりにやらせればいいわけではないけれど、「こうしたい！」という気持ちだけは受け止めてあげることが大事なこと。わがままを通させるのではなく、「気持ち」を受け止めて、気持ちを「承認」してあげれば、わがままも引っ込んでいくこと。

ここでペコの気持ちを受け止めなきゃ。

そして、喉元まで出かかった、

「小学校は保育所とは違うよ。病気でもないのにサボったらあかんねんで！」という言葉（ほとんど脅し文句ですね。苦笑）を文字どおりぐっと抑え込む感じで、ようやく聞いたんです。

「そっか、ペコは行きたくないんやね？」

すると、泣きそうだったペコの緊張が、確かにふと緩んだんです。肩の力もふっと抜けたような気がしました。ぐっとへの字に結んでいた口元も、少し開いたような気がします。

（おぉ、これが承認の効果?!）正直、私はちょっと感動しました。

それから、少しずつ聞いてみたんです。責める口調にならないように心をくばりながら。

「なにかイヤなこと、あるの？」

「……だって面白くないもん」

「面白くないの。なにが面白くないん？」

「先生、きらいやねん」

「そう、きれいなお姉ちゃん先生やって、喜んでたのにね？　どんなとこがきらいなん？」

「あのねぇ、なに言ってるかわからへんねん！」

「へっ?!」

……そうなんです。

ペコが学校に行きたくない理由は「先生がなに言ってるかわからへんから」だったんです。

先生に聞き返しても、やっぱりわからへんこと。ときどき早口になったりもすること。言われたとおりにやってみたら違っていたこと……。

たぶん、ペコ自身の緊張もあって、先生の言葉の一部分だけをとらえたりする、行き違いもあったのでしょう。

それにしても、「先生が怖い」とか「友達がイジワル」とかならまだしも、「先生がなに言ってるかわからへん」なんて理由、大人ではちょっと考えつきません。つくづく、聞いてみなわからへんもんやなぁ、と感心した私。

「じゃ、どうしたらいいと思う？」と聞くと、

「いっしょに学校に行って、先生に話して」と言います。

時間は8時20分……。

学校は目の前なので、まだ間に合います。

いきなり母子登校というのも気がひけたのですが、せっかく自分の気持ちと、解決法を、ちゃんと伝えてくれたペコのためです。

「わかった！　じゃ、いっしょに行こう。そしたら学校行けるね？」

「うん！」

ペコは霧が晴れたような顔をしています。

職員室で先生を呼び出してもらい、正直に今朝の話をすると、

「先生、気がつかなくてごめんね。ちゃんと確認して、わかるまで何度でも説明するから、いつでも言ってね」と、ペコの目を見て言ってくださいました。

「じゃね！」

ペコは先生に手をつながれて、恥ずかしそうにしながらも、いつもの笑顔で手を振ってくれました。


小学1年生の考えた答えですから、ひょっとして他にも自分でも気づかないような

理由があったかもしれません。また、同じような問題が起こるかもしれません。いえ、長い学校生活の間にはきっとまた起こるでしょう（笑）。

「でも、その時はその時で、またゆっくりと話を聞いて、解決法をいっしょに考えたらいいや」

そんな手応えを感じることができました。

でも、もしあの時、「どうして行かないのっ?!」「サボっちゃダメでしょ！」と決めつけていたとしたら……。

あぁ、コーチングやってて良かった。

私は本当にしみじみとそう思ったのでした。

第4章

子どもとの関係が変わった！

火に油を注いでいたのは誰？

コーチングをやるうちに、なんだか霧が晴れるようにペコのことが見えてきた私。だんだんと、ペコのことだけでなく、上のお兄ちゃんや弟のポコのことも目に入ってくるようになりました。いままでは、ペコのダダに振り回されるのにせいいっぱいだったのが、少し余裕が出てきたみたい。

すると今度は気になってきたのは3人のきょうだいゲンカのこと。

ある日のコーチングでのこと、きょうだいゲンカのてん末を報告し、私の対応を聞いていたコーチは、ふとこんなフィードバックを返してくれました。

「なんだか話を聞いていると、川井さんがきょうだいゲンカに介入することで、火に油を注いでいるように感じますが……」

そう、コーチはただ単にうなずいて話を聞いたり、質問をしたりするだけではなく、時にこうして率直に感じたことなどをフィードバックしてくれます。この、第三者からの客観的な視点が、けっこう効くんですね（笑）。

さらにコーチはこう言いました。

「もし、川井さんが中立的な立場でお兄ちゃんとペコちゃんのやり取りを見守ったとしたら、なにか変化はあると思いますか？」

そこで私は、一週間ほど、介入したい気持ち、ひとこと言いたい気持ちをひたすら抑えて、見守ってみました。

すると……。

相変わらず小競り合いはあるものの、エスカレートして、どうしようもない状態になることはなかったんです。

ペコが泣いても、ほんの30分も、いや10分もすれば「おーい！」と呼ばれて「なーにぃ？　お兄ちゃん」と走っていってます。

なんのこっちゃ?!

要するに、私はきょうだいゲンカにせっせと油を注いでいた。そのことが、ハッキリしました。

親が介入するほどきょうだいゲンカはひどくなる?!

いままで私は、お兄ちゃんがペコ&ポコをどなったり、叩いたりしていたら、こんな感じでした。

「偉そうに言いな。どならんでもいいっ」

「なんで、叩くの！　そんな本気でせんでええやろ!?」

チビさんたちのつらそうな泣き顔を見ると、そう言わずにはいられなかったんです。自然に、それは頭からお兄ちゃんを責める口調になります。

それを受けて、お兄ちゃんはますます反抗する……。そんな悪循環をくり返していたんですね。

こんなことに気づいてから、なんだか一時の、どうしようもないきょうだいゲンカやお兄ちゃんVS私のイザコザが、目に見えて減ったんです。

もちろん、ささいなモメごとは相変わらずで、どなったり、叩いたり、泣いたり……は、あります（笑）。

だけど、それに極力介入しない。

誰かが泣いて訴えてきたら、気持ちは受け止める。

お兄ちゃんの話も、できるかぎり聞く。

でも私が判断したり、裁いたりするのではなく、子どもたちに任せる。

本当にケガしそうな場合は止めるとしても、ほとんどは「子ども同士で解決できるはず」と、とにかく信じる。

そう対応しようとすることで、ケンカはそれ以上ややこしくならず、たいていおさまるみたい。

私ってお兄ちゃんを決めつけていた？

それに、そう心に決めることで、なにより私自身が迷わずにすみ、精神的にずいぶんラクになる！

これが結構、大きな発見でした。

それと、もうひとつ気づいた大きなポイントがあります。

それは、私は、子どもたちを先入観で決めつけて見ていた、ということ。

つまり、お兄ちゃんは、「妹や弟にやさしくあるべき」なのに「いじめっ子」であり、ペコやポコが泣いていたら「いじめられた」に違いないと思い、状況を判断したり、お互いの言い分を聞いたりする前に、「悪いのはお兄ちゃんで、ペコポコはかわいそう」と私は最初から決めつけていたんですね。

だから頭ごなしに、責める言葉になっちゃう。その色メガネやフィルターを通して見た結果、きょうだいゲンカをよけいもつれさせていた、火に油を注いでいた。

一方で、そのフィルターが、泣いているチビさんたちに過剰に反応してしまう〝私〟をつくり出していた。そう言えるかもしれません。

お兄ちゃんはなにに怒っているんだろう

きょうだいゲンカの見え方が変わってきたところで、今度はお兄ちゃんのことが気になってきました。

夏休みになって、一日中、家にいるようになったお兄ちゃん。なにかというと、私の仕事部屋に入ってきて邪魔をします。

「ねえ、おかあさん、どっか出かけようよ～（お母さんは休みちゃうねん！）」

「なあ、おかあさん、ボクのサイフ知らん？（そんなもん、知らんっちゅうねん）」

「そうそう、今度この靴買ってほしいねん（あーっ、パソコンの上に雑誌広げんといてっ！）」

「あ～あ、退屈やなぁ。なにしたらええと思う？（もーっ、自分で考えろ～！）」

こっちも余裕があればいいけど、締め切り前なんかは受け止めるどころじゃなくって、〝もう、出ていけ！〟状態（苦笑）。

話を聞いてもらいたいんだろうな、とは思うのに、結局最後は追い出すことになって、いつも自己嫌悪をくり返していました。

そこで、さっそくコーチング！　最上《もがみ》コーチに話を聞いてもらいました。

「なるほど、仕事に集中できずにイライラしている川井さんが目に浮かぶようですね。その気持ち、よくわかります（笑）。でも川井さんは〝お兄ちゃんは話を聞いてもらいたがっているんだ〟とすでにわかっているんですね？」

「そうですね。前にも〝お母さんは、いっつも話を聞いてくれへん〟なんて怒っていましたからね。夏休みで家にいるし、チビさんたちは保育所と学童に行ってていないし、その間に、もっと構って欲しい、こっち向いて欲しい、って感じでしょうか」

「ということは、お兄ちゃんは、普段はあまり構ってもらっていない、気持ちも受け止められていない、と思っているんですね？」

「どうしても下の子に手も気も取られていることが多いですもんね。だから、つい用事ばっかり頼んで、でも逆に甘えてこられると、『もう小6なのに』ってつっけんどんになっちゃって。でも、これってすごい私の勝手ですよね。言ってて自分でもそんな気がしてきました（笑）。そういえば、お兄ちゃん、『ペコやポコだけずるいっ！』

ってよく怒ってるもんなぁ」

「それはたとえばペコちゃんの、なにに対しての怒りなんでしょう？」

「お兄ちゃんがペコのなにに対して怒っているか……。あっ、そうだ。もしかしたらお兄ちゃんは、ペコの〝なんでも感情をストレートに出すところ〟がイヤなのかも。そんな時は決まってキショイとかウザイとか言って怒っていますから。それは裏返せば、お兄ちゃんはいつも自分の感情を素直に出していない、ガマンしている、ってことですかね」

「確かにペコちゃんの激しいダダの陰で、お兄ちゃんはずっと自分なりにガマンして、いい子でいたんだと考えることもできるかもしれませんね」

「そうですねぇ。そんな部分は確かにあるかもしれません」

こんなふうにしゃべっているうちに、だんだんと自分の気持ちが表に出てきます。いろいろと思い出すこともあります。お兄ちゃんがケンカする裏の気持ちも見えてきます。

そこで、コーチが聞きます。

「じゃ、そんなお兄ちゃんに対して、どうしたいですか？」

「うーん、そうですねぇ。とにかくいちばん困っているのは、仕事の邪魔をされるということなんだけど、それを解決するには、要するにその場でどうこう言ってもダメで、お兄ちゃんの日頃の〝満たされていない想い〟を満たすことが先決なんでしょうけど……」

「じゃ、改めて聞きますね。お兄ちゃんに、そう感じてもらうために、なにができますか？」

「まず、話をちゃんと聞くこと。でも、お兄ちゃんにそうしっかりと伝えるには、どうするかですよね……。

あっ、そうか。私、いままで話を聞くっていっても、ほとんど仕事の手は止めてませんでした！　ひどい時には顔も見ないで、あいづちだけで。

うーん、これじゃ、〝話を聞いてもらっている〟という実感がないのもムリないですよねぇ。大人同士だったら怒って当然だもの。『リフレイン』や『私メッセージ』なんていう以前の問題だわ……。

〝お兄ちゃんの目を見て、しっかり話を聞く〟、これ約束します、やってみます！

それでお兄ちゃんがどんな気持ちか、様子をよく見るようにしてみます」


結局私は……

〝お兄ちゃんの顔を見て、目を見て、しっかり話を聞く〟

〝お兄ちゃんの行動の裏側にあるもの、反応の源になっているものを、意識して探してみる〟

という宿題を自ら宣言したのでした。

お兄ちゃんって、こんな顔して話すんだ……

さて、当たり前でささやかな解決策ではありますが、これを一週間続けることで、いくつかの新たな気づきはありました。

まず、〝お兄ちゃんの顔を見て、目を見て、しっかり話を聞く〟という宿題。

これは、なんとか毎日意識して、できるだけ実践してみました。でもつねに「目を見る、目を見る」と唱えてないと、ふと忘れがち。それだけ毎日の習慣の力は大きいんですね。

そうして目を見ながら話を聞いていると、すごく嬉しそうです。エクボがふたつぽこっと凹んでいます。

「あぁ、お兄ちゃんって、こんな顔してニコニコ話すんだ」

改めてそう思ったりして。

ふだんいかに顔をまじまじと見ていなかったか痛感しました。

でも、〝ちょっと照れくさい気持ち〟も確かにあって。面白いですよね。ペコやポコは至近距離で見つめ合っても（当たり前ですが）なんともない。

母親と息子って、何歳くらいからお互いに照れくさくなるんでしょう？

もちろん、親子によってさまざまでしょうが、なんだか私には、「この時期が自立へと向かう大切なポイント！」のような気がしてなりません。

お互いがお互いを、ひとりの人間として認め合いつつ、対等な人間関係を築けるかどうか。自我を確立しようとしている息子に対して、どう対応していくことが、いちばんいいのか。

そんな視点から、現状を見てみると……

●私はまだまだお兄ちゃんを子どもとしてしか見ていない。

●早く自立して欲しいと言いつつも、ちっとも相手を尊重していない。

なんて、私自身の課題が見えてきます。

はじめて知ったお兄ちゃんの本心

たまたまそんな時、お兄ちゃんの気持ちがさらに見えてくるような出来事が起こりました。再びペコの登校拒否が勃発したんです!!

実は前の晩に、ふだんより寝るのが遅かったペコ。頭もボーッとしているようで、なんとか起きた後もぐずぐずと用意していましたが、さっさと用意をすませたお兄ちゃんに「はよしろよっ! なにしてんねん!!」とどなられました。

すかさずペコは、洗面所で座り込み、

「いややーっ、学校行きたくない!!」

おっ、また来たぞ。と思った私ですが、今回はどうも「まだ眠たい、しんどい、めんどくさい」だから「学校行きたくない」という感じ(笑)。

でも、ま、頭ごなしに言っちゃあ、きっとかえってヤヤコシなるよなぁ……。

するとお兄ちゃんが横ヤリ。

「なに言うてんねん?!　行きたなかったら、学校行かんでええんかっ！」
そりゃもう、見事に頭ごなしです。
「なんで行きたないねん！」（怒）
「だって、勉強面白くないもん」（小泣）
「誰だって、そんなん面白ないわ！　でもみんなガマンして行っててんねんやろっ！　なんでお前だけ、行かんでええねんっ！」（激怒）
どうもペコの方は「眠たくてちょっとゴネてみただけ」のようでしたが、意外だったのはお兄ちゃんの本音。
これまで6年間「学校に行くのイヤ！」なんて言ったことなかったんです。そりゃ、確かに勉強好きとはとうてい思えないけど、そんなにキライだったなんて。ガマンして行ってたなんて。
つくづくお兄ちゃんは（ああ見えて）結構いろいろガマンして、表に出さないタイプなんだ……と驚いたんです。
だからこそ、きっとペコの奔放《ほんぽう》さにもハラがたつんだろうなぁ。
そんな二人のやり取りを見て、お兄ちゃんの本心をかい間見たのでした。

たぶんお兄ちゃんは、ガマンしている自分の気持ちを他の人にわかってもらえないのが、なにより悔しかったのでしょう。

「ペコやポコだけ、ずるいっっ!!」という叫びには、そんな想いが込められていたんだと、いまならわかるのです。

お兄ちゃん……ゴメンねぇ。

これからも急にフィルターははずせないと思うけど、なるべく意識してがんばってみるからネ。

子どもと触れ合うことって大事です

そんな頃、ちょうど近くの文化センターで子育てに関するセミナーがあり、時間も空いていたので、ちょっと行ってみることにしました。

実は「ガンバリ育児をみなおそう!」というタイトルくらいしかわからなかったんですが、いつもの「ま、いいか!」で参加したんです(笑)。他に参加していたのは(保育ルームもあったからでしょう)、小さいお子さんを持つお母さんを中心に20人ほど。

講師の方は、医療福祉系の専門学校講師ということでした。

そうしたら、始まってじきに、

「私は〝ベビーマッサージ〟ならぬ〝チャイルドマッサージ〟を提唱しているんですよ」と、和室に寝ころんでの、お母さん同士のマッサージ体験がスタートしました。

それはいわゆるベビーマッサージを基本に、身体全体をやさしく撫でたり、マッサージしていくというもの。

初対面のお母さん同士でしたが、タタミに寝っころがって、背中をやさしく撫でてもらうことの、なんて気持ちいいこと!

それに、気持ちを込めて撫でていると、私自身も心がゆったりと落ち着いてくるんです。

ふーん、そうか。触っているだけでもいいんだ。

これならお兄ちゃんにもできそう。

そんなことを感じたり、他のお母さんに話したりして帰ってきました。

そして夕方……。

きょうは塾の日で4時20分には家を出なくちゃいけないのに、お兄ちゃんが帰ってきたのは4時25分。

しかも、顔も見せずに2階に上がったまま、下りてきません。

「なにしてんのっ！　塾でしょ?!」と怒ろうとして、2階へ上がると、なんと布団にくるまっています。

私に背中を向けて、どうも泣いてるみたい。

えっ、なんで？

どうしたの？

こんなこと初めてです。

「どうしたん？　なにかあった？」そう聞いてもなにも答えません。

どうしよっか。

セミナーに行ったばかり、ということもあり〝いつもの怒るモード〟ではなく〝優しく受け止めるモード〟にあった私は、さっそくきょう思ったことを実践してみたんです。

私に向けている背中を、とにかくゆっくりと撫でてみました。

なにも言わず、なにも聞かず、ゆっくり、ゆっくり。

撫でた後は、手のひらを背中にあてて、ただじっとしていました。

私の気持ちとしては、

「なにがあったかわからないけど、だいじょうぶ、だいじょうぶ……」

そのまま10分も、そうしていたでしょうか。なんだかお兄ちゃんも落ち着いてきて、眠ったようだったので、そのまま声をかけず、そっとして部屋を出ました。

もう、きょうの塾はいいや。

いつもの私だったら、

「塾1回分の料金、こづかいから引くよ!」と、脅すところなのですが(苦笑)。

それからしばらくしたら、自分から降りてきて、なにやらさっさと準備をしています。

「お母さん、これから、塾、行ってくるから」

彼は少し赤い目でそう言って、自転車に乗って出かけていきました。

時計はもう5時を回っていて、塾の時間の3分の1は過ぎています。

ふだん、時間にはわりと几帳面で、「遅刻するくらいなら、もう行かへん！」とゴネることも多い彼が、です。

夜、塾から帰ってきてからは、もういつもどおり。普通のお兄ちゃんに戻っていました。

結局、理由はわからないままだけど、でも、あれで良かったんじゃないかなぁ。きっとお兄ちゃんには私の気持ちが伝わったし、お兄ちゃんもきっと自分でなにか答えを見つけたんだと思うから。

抱っこやマッサージにこだわらず、どんな形でもいいから、触ってみる、触れてみる。それがいちばん大切なのかもしれません。

もちろん話すというコミュニケーションも大事だけど、触れ合うコミュニケーションも大事にしながら、子どもとの関わりを見つめていきたい……。

改めてそう思ったのでした。

第5章

やってみよう！子育てコーチング

よし、私もコーチになろう!

コーチングを始めたのが２００３年の2月。毎週毎週、最上輝末子《もがみきみこ》コーチとセッションを続けるうちに、どんどん子どもの気持ちが見えてきたり、問題が解決したりするようになりました。自分の変化にもびっくりしたり、うれしくなったり……。そんな中で、私は「もっとコーチングを勉強したい」と思うようになりました。

もともとは「ペコのダダをなんとかしたいっ！」という一心で始めたコーチング。でも、そこから私の運命は大きく変わることになったんですね。

ただコーチングを受けるだけでなく、自分ひとりでもセルフコーチングができるようになりたい。そのスキルを生かして、子どもたちとのコミュニケーションももっと楽しく、もっと豊かにしたい。私が「子どものコーチ」になることで、ひとりひとりの可能性をもっと伸ばしてやりたい。さらに、私がコーチとして〝子育てコーチング〟を広めていくことで、ひとりでも多くの子育てに悩むお母さんたちのサポートをしていきたい……。最上コーチと話しているうちに、そんな思いもかけなかった夢がどんどんふくらんできました。

そして2003年の夏、とうとう私はコーチになるための勉強をスタートしました。それはコーチングを始めてわずか半年後のこと。翌年1月には、最上コーチとともにメールマガジン『タオとアービーの実録！　子育てコーチング』を発刊し、春には念願のサイト「子育てコーチングくらぶ〈ダブルス〉」を立ち上げたのでした。

コーチングを学びながら、一方で日々の子育てを通して実践を重ね、一方でいろいろなお母さんの話に耳を傾けて、自分の悩みがひとりだけのものではなかったこと、お母さんが悩みやすいポイントなどが見えてきました。そして、あらためて、

「子育てには、コーチングがよく効く！」

「コーチングをうまく使うことで、お母さんも子どももうんとラクになる！」

とひしひしと感じるようになりました。

この章では、そうして私がコーチとして学んできたことや体験も交えながら、子育てに困った時のセルフコーチングのポイントや、子どもとのコミュニケーションのコツなどを、いくつかの事例を挙げながらご紹介していきますね。

やってみよう！　子育てコーチング〔基本編〕

あなたもやれる、子育てコーチング！

子育てコーチングをやってみましょう！　と聞いて、ひょっとしてあなたは、

「そんなこと言ったって、勉強もしていないのに、できるわけないいわ」

「子ども相手に、急に言い方や態度を変えられるかしら」

なーんて、お思いではありませんか？

でも、だいじょうぶ。

これまでの私の経験をお読みになってもおわかりのとおり、コーチングといっても
なにも特別な方法を使っているわけではありません。

もともと「コーチング」そのものが、誰かによって新たに発明されたものではないのです。さまざまな心理学やコミュニケーション理論をベースに、優れたカウンセラーやスポーツのコーチなどがすでに大昔から（？）実践してきた方法を、あらためて能力開発や問題解決のためのコミュニケーション・アプローチとしてまとめあげたものが「コーチング」なんですね。

だから、ほら、きっとあなたの周りにも、自然にコーチング的なコミュニケーションをしている〝天然コーチ〟がいると思います。

そういう人はたいてい聞き上手。そして、その人と話していると、楽しくて、元気が出て、おまけに話しているうちに自分から問題解決の方法がポロリと出ちゃったりして。

反対に、ちっとも話を聞いてもらっている感じがしなくて、話をさえぎったり、自分の意見ばかり押しつけてくるような人は、〝反面コーチ〟と言えるでしょうか。

さて、あなたのコミュニケーション・スタイルはどちらに近いでしょうか。そして子どもに対して、日々どんなふうに接しているでしょうか？

そんな視点を意識していれば、きっと誰でもコーチになれると思います。

コーチングの基本的な流れ

コーチングでは、たいてい「ゴール（目標）を設定する」→「現状を把握して、問題点をはっきりさせる」→「問題解決のための行動を考える」といった流れで進んでいきます。このとき考える主役はもちろん、コーチングを受ける人（「クライアント」と言います）です。

コーチは、そうして決まった「行動」が予定どおりに実践できるようにフォローし、その行動の結果を受けて、「そのまま続けるのか」「行動の内容を変えるのか」といった軌道修整を確認しながら、目標の達成をサポートしていくんですね。

つまり基本は、「自分で考え、自分で行動すること」。

いくら優れたスポーツのコーチがついていても、当の選手自身が行動を起こさないかぎりなにも変わりようがないのと同じように、子育てコーチングも「子育てを変えたい！」と思ったあなたが主役です。


「あぁ、私はちっとも子どもの話を聞いてなかったなぁ」

「いつも頭ごなしに決めつけていたかも」

そう思ったら、次に考えることは、

「じゃ、どうすればいいか」

「どんなふうに変えられるのか」

「それをいつから実行するか」

本当のコーチングはここからスタートします。

ステップ1　まずじっくり観察しよう

コーチングでは、ゴールの設定が最初のステップだと書きました。でも、子育ての怒濤の現場においては、なかなかそんな悠長なことは言っていられません（笑）。

実際、私自身がコーチングを始めた時も「ペコのダダをなんとかしたい！」が目標といえば目標だったわけですが、こんなふうに「とにかくいまのトラブルを解消したい」というのが、子育てに悩むお母さんの正直な気持ちではないでしょうか。

もちろん、ダダを解消することで、つまりは「どんな親子関係を築きたいのか」「どんなお母さんでありたいのか」さらに「どんな子ども（あるいは大人）になって欲しいのか」といった大きなゴールを考えることも大切です。でもそれは、目の前の問題が解決して、お母さんの心に余裕ができてからにしましょう。

そこで、子育てコーチングのまず最初のステップを、「まずじっくり観察する」から始めてみたいと思います。

ちょうど、つい先日ペコが宿題の本読みでこんな話を聞かせてくれました。

『かんさつ名人になろう』

毎日見ているものでも、よく見ると、はじめて気がつくことや、くわしくわかることがあります。

みぢかなものをかんさつしてみましょう。そして、見つけたことを文しょうに書いて、友だちに知らせましょう。【『こくご　二(上)　たんぽぽ』光村図書】

ね、小学2年生の国語の教科書にもなかなかタメになることが書いてあります(笑)。つまりただ目に映すのではなく、よく見る、しっかり観る。なるべく思い込みやフィルターをはずして、あるがままの事実を観察することが大事です。それには「客観性」が必要になってきます。

私にとっては、コーチングがこの客観性をもたらしてくれたわけですが、セルフコーチングではどんな方法が考えられるでしょうか。

いちばんお勧めしたいのは、教科書にもあるように「文しょうに書いて」みることです。ノートでもメモ帳でもパソコンでもブログでもいいのですが、とにかく観察した内容を、文章にして、それをもう一度自分の目で読む……。この一連の流れを通して、自然に客観的な視点が持てるようになります。

さらに「友だちに知らせましょう」までできると、もっと効果的です。

継続して記録することで、見返すたびにその変化がより意識されるようになります。そうすると、次回はもっとしっかりと観察することができるようになるはずです。

子どものダダに振り回されていたら、「ダダ日記」を。

きょうだいゲンカにほとほと疲れていたら、「きょうだいゲンカ日誌」を。

反抗期に手を焼いていたら、「〇×反抗記」を。

いかがですか？　なんだか楽しそうな気分になってきませんか（笑）。

そうやって、トラブルがどのようにして起こるのか、子どもの言い分はなにか、そのときのお母さんの対応はどうだったのか、結果はどうなったのか……。そんなデータを記録してみてください。あるいはそのときどきで気づいたこと、感じたことを書き添えてもいいでしょう。

一週間、二週間と続けるうちに、きっと新たな発見があることと思います。

ステップ2　問題点をはっきりさせよう

じっくりと観察を続けていると、いろいろなことが見えてきます。

子どもはどんな時にダダをこねるのか。

きょうだいゲンカという火に油を注いでいた犯人は誰なのか。

うまくいった時の勝因はなんなのか。

反対にどんな時に状況がひどくなってしまうのか……。

そんな中から本当の問題点がはっきりしてきます。

面白いもので、問題の本質は、表面上のトラブルとはまた違ったところにその根っこがあったりするんですね。

つまり、私の場合はダダがすべての元凶だと思っていたのですが、本当の問題は

「ダダに振り回されて、同じように怒って、どなって、身も心もクタクタになってしまう」「そんなふうに、反応してしまう私自身」が、なによりも問題だったのです。

人は、なにかに〝反応〟してしまうものなのだそうです。なにに反応するかは人それぞれなのですが、それを刺激されると無意識のうちにも感情が大きく揺れ動いてしまう。冷静でいられなくなる。反射的に対応してしまう……。

とくに子育てにおいては、自分が子どもの行動のなにに反応しているかを知っておくことが、大きなサポートになります。

私はコーチングを通して、自分に「争いごとに過剰に反応し、必要以上にそれを避けようとする傾向」があることに気づきました。どうもこれのせいで、ダダに巻き込まれ、きょうだいゲンカを激化させる状況を、自らつくっていたようなのです。

これが、人によっては「時間どおりにやること」だったり、「白黒はっきりつけたがること」だったり、あるいは「子どもは○○であるべきだ」というさまざまな強い思い込みだったり、するわけです。それが思いどおりにいかないから、カッとする、イライラする、ガミガミ言っちゃう。

この反応に気づき、それを意識することで、反応はある程度コントロールできるようになってきます。無意識にしてしまうクセである貧乏揺すりも、意識していれば抑えられるようなものですね。

すると、同じようにペコがダダをこねていても、たいていは冷静に受け止められるようになってきました。そのおかげで、ずいぶんラクになりました。ダダの時間も短くなってきました。

あなたは、子どものどんな行動にイライラしますか？
子どものどんな言葉にカッとしてしまいますか？
あるいは、子どもはなにに反応しているようですか？

そんな問題の根っこが見えてくると、対応の方法もいろいろ考えられるようになってきます。

子育てのイライラは元から断たなきゃダメ！
そのためにも、よく観察して、トラブルの元を探してみましょう。

ステップ3　なにができるかを考えよう

コーチングの途中で、私が悩んでいたり立ち止まったりしていると、コーチはよくこう尋ねてくれます。

「じゃ、あなたは、どうしたいですか？」

「いま、あなたにできることはなんですか？」

「過去と他人は変えられない、未来と自分は変えられる」という言葉があります。つまり、変えられないことをあれこれ思い悩んでムダなエネルギーを使うより、自分に変えられること、できることを考えて、そこへエネルギーを注ごうというわけです。

子育てにおいても同じ。子どもを変えたいと本当に思うのなら、「変わらない子ども」を責めたり、グチを言ったりするよりも、

「この状況を変えるために自分にできることはなにか」

「それをいつ、どのように行動に移すか」

と思いめぐらすことが大切です。

感情に振り回され、事実が見えなくなっていたり、夢や希望ばかりを追いかけてしまいがちなクライアントを、コーチはつねにポジティブで現実的な方向へと気づかせてくれるのです。

あなたが抱えている子育ての悩みについても、同じように考えてみてくださいね。私の場合は、これまで書いてきたように、ペコのダダに対しては「まず気持ちを受け止める、壁になる」、お兄ちゃんに対しては「目を見て話を聞く」などの、自分にできそうなことを宿題にして少しずつ実践してきたわけですが、どうでしょう。あなたにできそうなことは思い浮かびましたか。

一度にそういくつも欲張ることはありません。シンプルでやれそうなことをひとつかふたつ、自分への宿題にしてみてください。

きょう一日だけがんばってみる。

この一週間、意識してみる。

というふうに期間を限定した方がトライしやすいかもしれません。その宿題を紙に書いて、よく見えるところに貼っておくのもいいですね。

ステップ4　とにかく行動してみよう!

いくら素晴らしい本を読んでも、感動的な講演を聞いても、目からウロコがポロポロ落ちても、「そうかー」と思うだけでは変わらない。宝くじだってまず買わなきゃ当たりません。ところが、わかっていても、うまく行動に移せないことがあります。

実は私自身もそうでした。コーチングを始めた頃、最上《もがみ》コーチからいろいろな提案をされるたびに、私はこう返していました。

「あ、それ似たようなことを試したことあるけど、ダメでした」

「だけど、それで上手くいかなかったら、どうしよう」

私はことごとく否定して、なかなか行動に移そうとはしなかったんです。

そんな私に対して、コーチは言いました。

「川井さん、本当に子どもたちとのコミュニケーションを良くしたいと思っていますか?　いまの関係を変えたいと、心から思っていますか?」

「思ってはいるんですけど……」

「では、なかなか行動に移せないその理由はなんでしょう？」

「うーん、自信がないというか、それでもダメだったら、どうしようとか。もっと落ち込むような気がして」

「それはね、試してみればいいんですよ！　コーチングのスキルにもいろいろある
し、解決の方法もいろいろあるでしょう。だから、自分なりの答えを考えたら、まず実践してみる。そして、もしダメだったら、また他の方法を考えればいいんです」

（なるほど～。そうか、やってみればいいんだ）

なんだか私はその一言ですごくすっきりしたのです。

「やってみなはれ。やってみな、わからしまへん！」

これは松下幸之助の言葉だそうですが、私のお気に入りのこの一言を、あなたの背中を押すために捧げたいと思います。

試してみよう！
子育てコーチング〈決めワザ編〉

子育てによく効く7つの決めワザ

コーチングには全部で１００にもなるスキルがあると言われています。そんなコミュニケーションの手法や、考え方、心構えなどの中から、子育ての現場で役に立つ、とっておきの決めワザをお教えしましょう。

どれも私の経験から

「これは基本かも！」

「うん、効果ある！」

「みんなに教えたい！」

「知ってたらラクになる!」

と実感したものばかり。

スキルといっても難しい技術がいるわけではありません。ただひとつコツがあるとすれば、それはとにかくやってみること、使ってみることです。最初はぎこちなかったり、うまくいかなかったり、するかもしれません。

「お母さん、どうしたん?」

「きょうは、なんかヘンやで」

なんて言われるかもしれません(笑)。でも、くり返すうちに、きっと自然にできるようになってきます。その頃には、子どもにも大きな変化が現われていることでしょう。

気に入った決めワザをいくつか、あなたの胸のポケットに入れておいてください。

そして、子どもがダダをこねたり、言うことを聞かなかったり、イライラしたり、カッとなったりした時に、ちょっと思い出して、手にとってみてくださいね。

決めワザ1 「承認」 気持ちをしっかり受け止める

子育てコーチングの最初にして最大のツボ、それは、ひとことで言うと「子どもの気持ちを受け止める」ことに尽きると思います。

心理学やカウンセリングの用語で言うと「承認」という、ちょっと堅苦しい言葉になりますが、要は、子どもが投げかけてくれるさまざまなメッセージ（言葉だったり、行動だったり、表情だったり）をキャッチすることです。

そう、子どもがピッチャーなら、お母さんはキャッチャー。

子どもがボールを投げてくれたら、どんなボールも、まずすっぽりと受け止める。そして「キャッチしたよ」と伝える。バッターになって打ち返すのではありません。よそ見したり、無視したりするのでもありません。

もう、これさえちゃんとできていたら、他はどうでもいいんじゃないかっていうくらい、大事な基本だと思います。お母さんが少々厳しかろうが、甘かろうが、いいかげんだろうが、子どもは安心して育つことができると思います。

反対にこれができていないのに、どんどん働きかけたり、押しつけたり、コントロールしようとしたりするのは、たとえそれが子どものためを思ってやったことでも、むしろ逆効果なのではないでしょうか。

まず受け止める。よく見て、よく聞いて、気持ちをわかってあげて、それを「わかっているよ」と伝えること。

これは〝スキル〟というより、子どもに対してつねに意識していたい、もっと大きな〝心構え〟のようなものと言えるかもしれません。


たとえば、ペコのように「学校へ行きたくない」と言い出したとしても、「なに言ってるの！」「さぼっちゃダメでしょ」と頭ごなしに否定したり、「行かないと勉強がわからなくなるわよ！」なんて脅迫したり、「えっ、どうして行きたくないの?! なぜなのっ！」と問いつめたりするのではなく、まず、

「そうか……行きたくないんだ」

「行くのがイヤなんだね」

と、いったんストンと、そのままクッションのように受け止めてやるのです。

え〜!!! 子どものいうとおりにさせちゃうの!! と思ったあなたへ。

いえいえ、ここで間違ってはいけないのは、「気持ちを受け止める」のは「子どもの言うとおりにすること」では決してないということです。

「学校へ行きたくない」と言ったからといって、「そうか、わかった。じゃ、学校に行かなくてもいいわよ」とその内容に賛同するわけではないのです。必ずしも子どもの望みやリクエストに応えなくていいんです。

どんな事情があったのかはまだわからないけど、とりあえず「学校に行きたくない」という子どもの気持ちを、「あなたはいま、学校へ行きたくない気持ちなのね」「お母さんはそのことをわかっているわよ」と伝えてみましょう。

もっと身近な例にたとえてみましょう。

スーパーで「お菓子買って〜!」と泣く子に対して、「わかった、わかった、じゃ、買ってあげる」というのは、単なる甘やかしでしょう。子どもの言うがままになっているだけです。

一方、反射的に「なに言ってるの、ダメよ!」「そんなこと言わないのっ!」「えーっ、さっき食べたばっかりでしょ！」なんて言うのは、子どもの気持ちを頭ごなしに否定している、つまりシャットアウトしていることになります。

そうではなくて、「そっか、お菓子が欲しいんだね」と子どもの気持ちを汲んであげる。それが承認なのです。その後で、お菓子を買ってやるのか、あるいは買ってやらないのかは別問題で考えていきましょう。

私が「子どもの気持ちを受け止める」ということを意識し出したきっかけになったエピソードをメールマガジン『タオとアービーの実録！　子育てコーチング』からご紹介します。それは、子どもが道でコケた時の、いろいろなお母さんの対応を観察していて気づいたことでした。

＊　　＊　　＊

もし、子どもが道でコケて泣き出したら、あなたはどう対応しますか？

まだ小さい子なら、よくあるのが「よしよし、痛いの痛いの、飛んでいけー！」とおまじないするパターン。

あるいは「痛くない、痛くない！　だいじょうぶ、だいじょうぶ！」と暗示にかけるタイプ（？）。

「それくらいで泣くんじゃありません！」というスパルタタイプ。

「ほら見なさい！　だから危ないって言ったでしょ！」と怒っちゃうパターンも少なくありません。

他にも「お菓子買ったげるから、泣かないの」と物でつったり、「あっ、あれなにかな？　ワンちゃんが散歩してるよ」なんてごまかしたり……。

でも、「痛くない！」「泣かないの！」なんて否定された子どもは、むしろいっそう大きな声で泣いていたようにも思います。

こうして見ると、子どもの「痛いよー」という気持ちをそのまま受け止めているお母さんって、意外と少ないのかも?!　その時、私はそう感じました。

まずいったんは、「コケちゃったね。あぁ、血が出てるね、痛いよね〜。よしよし」。そう子どもの気持ちを受け止めてあげる。

「どうしてコケたのか」

「どうすればコケなかったのか」

「次からはどうしたらいいか」

そんな問いかけを子どもに投げかけるのは、その後です。

このことを知ったおかげで、一度、ポコが見事に溝にはまって脇腹を大きく擦りむいた時も、

「あーあ、落ちちゃったね。擦りむいて、痛いねぇ」と声をかけ、ひとしきり泣いた後に、

「だけど、こんな溝の上を後ろ向きで走ったら、危ないよねぇ（そりゃ、そうだ）」

と落ち着いて伝えることができたのでした。

でも、ポコが溝に落ちた瞬間、「ほら見なさい！　危ないって言ったのに！」と思ったのは事実。やっぱり、つねに意識していないと、思ったそのまんまがつい口にも出てしまうんでしょうね。

まず、受け止める。アドバイスが必要ならその後に。

それをしっかりと心に刻んだ出来事なのでした。

＊　＊　＊

決めワザ2 「傾聴」 子どもの話をしっかり聞く

子どもの気持ちを受け止めるためには、コーチングのステップでも触れた「よく見ること」と並んで「よく聞くこと」が大切になってきます。

これまた専門用語で言うと「傾聴」なんて言葉になりますが、つまりは意識して、心をこめて、しっかりと聞き取ること。しかし、これもまた簡単そうでなかなかできるものではありません。

ここでのポイントは、「しっかり聞いているよ」ということを、どれだけ相手に伝えられるかということです。どれだけ子どもに「お母さんは、しっかり話を聞いてくれてる！」と思ってもらえるかが問題です。

いくらあなたが「ちゃんと話を聞いているつもり」でも、子どもがそう感じていなければ、それはやっぱり「聞いていない」のと同じことなんです。

その悪い例として、第3章で、私がいかにお兄ちゃんの話を聞いていなかったかについて詳しく書いていますので、あらためて参考にしてください（笑）。

自分の話をしっかり聞いてもらえないつらさ、歯がゆさ、空しさなどについては、お母さん自身にもきっとなにか身に覚えがあることでしょう。

新聞を広げたままで、「あぁ」「うん」としか返事しない夫、なんて事例があるかもしれません。思わず「ねぇ、ちゃんと話聞いてるの？」と問いつめてしまいそうですね。もし、「ああ、聞いてるよ。今度○○さんが引っ越すんだろう？」と話の内容がきちんと伝わっていたとしても、なんだか納得できない、満たされない想いは残るのではないでしょうか。

それは、伝えたいのは必ずしも話の内容だけではないからです。とくに子どもが相手なら、子どもはきっと「こんなことがあった、私はああした、こうした」という事実以上に、「だからとっても楽しかったの！」「くやしくて泣きそうだった」なんて想いをわかって欲しいのだと思います。

話の内容もしっかり聞いて、さらにその想いまでわかってくれる、共感してくれる……。自分のことのようにいっしょに喜んでくれる、いっしょに悲しんでくれる、くやしがってくれる……。それこそが、子育てコーチングにおける最高の〝聞き上手〟

です。

具体的には……

●用事している手を止める。

●子どもの目を見る。

●「うん、うん」とうなずいて聞く。

●話を途中で遮って、評価したりアドバイスしたりしない。

などがポイント。

こう文字にするととてもシンプルで簡単そうなのですが、実際に一日中こんな対応をしようと思ってもそれはとうていムリなこと。できれば一日のうち10分でも20分でも、こんなとっておきの「傾聴タイム」をつくってみてはいかがですか。

できることから、小さなことから、まず始めてみる。それが大きな変化の第一歩になると思います。

決めワザ3 「リフレイン」 必殺オウム返し

子どもの話をじっくり聞こうと思っても、意外と失敗しやすいのが、つい子どもの話をさえぎって、途中で批評したり、アドバイスしたりしてしまうことです。

どうも親というものは、子どもがなにか話すと、それについてなにか内容のあることを返さなければならないと思い込んでいる節《ふし》があるようです。

で結局、詰問になったり、批判になったり、ひどい時にはそのまま「だいたいあんたは、いつも……」なんてお説教になっちゃったり。

そんな時、最上《もがみ》コーチがまず教えてくれたのが、「リフレイン」という方法でした。

リフレイン、つまり「くり返す」ということ。

「お母さん、きょう保育所でこんなことがあってん」

と言えば……

「そう、そんなことがあったん?」

「○○ちゃんってな、いつもへんなこと言うて、みんなを笑わせてんねんで」

と言えば……

「ふーん、○○ちゃんって、いつもみんなを笑わせてるの」

単純に、内容をくり返したり、語尾だけをくり返したり。それだけで、子どもは「話をしっかり聞いてもらっている」と感じてくれます。ペコたちも瞳をキラキラさせて、しゃべってくれました。

これは大人だって同じ。聞いてもらっていると感じると、人は安心してしゃべることができます。ついつい話も弾みます。コーチも実際のコーチングでこのリフレインをよく使います。そうやって相手に安心感を与えながら、話をどんどん引き出していくんですね。

（そうか、くり返すだけで、いいんや）

話を聞かなきゃ、なにか言わなきゃ。そう思っていた私はそれだけで、ちょっと気持ちがラクになったのでした。

やはりここでも、〝子どもがピッチャーなら、お母さんはキャッチャー〟という気持ちで。子どもがなにか話したら、それをそのまま受け止める。言葉といっしょに投げかけてくれた気持ちも、いっしょにすっぽり受け止める。

どんな球でもしっかり受けるから、安心して投げてごらん。失敗してもいいから、思うように投げてごらん……。たとえば、そんな感じでしょうか。

このリフレインのコツについて、もう少しお話ししたいと思います。

たとえば、子どもが否定的な言葉を口にした時には、どのようにリフレインして受け止めたらいいのか、ということです。

「私なんて、どうせダメだから」

「○○ちゃんのバカ、もう大っきらい！」

こんなマイナスの言葉に対して、あなたならどう言葉を返しますか？

よくやりがちなのが、

「そんなことないわよ。あなたならきっとできるわよ！」

「バカなんて言わないの！　お友だちでしょ」

というふうに、励ましたり、お説教したりすることではないでしょうか。

でも、子どもの立場に立ってみるとどうでしょう。ようやく口にした「私なんてダメなんだ」という言葉も、不安や悲しい気持ちも、すべて頭ごなしに否定されているように感じませんか。

やはり、まずは「そっか、そんなふうに思ってるのね」、あるいは気持ちを推し量って、「自信なくしちゃったのね……」「不安に思ってるんだ……」というふうに、ふんわりとクッションのように受け止めてあげてください。

「あなたならきっとできるわ」「お母さんは信じてるよ」と励ますのは、その後です。

怒っている子どもの気持ちも同じように、「〇〇ちゃんのこと、そんなに怒ってるのね」と、その怒りを受け止めてあげてください。

マイナスの感情は認めてもらえると、それだけで小さくなります。ところが逆に「そんなことで怒らないの！」なんていうふうに抑えつけられたり、否定されたりすると増幅してしまうのです。

子どものマイナスの感情を受け止めること、とくに怒りを受け止めるのは難しいものです。私にとっても、まだまだ大きな課題です。

でも、子どもがなにかに怒っていたら、ちょっとトライしてみてください。きっと、「怒りを否定するとかえって大きくなるけど、受け止めると小さくなる」ことが、実感してもらえると思います。

決めワザ4 「私メッセージ」私を主語にして伝える

子どもをよく見て、子どもの話をよく聞いて、気持ちをしっかり受け止める。これらはみんな、コミュニケーションのやり取りの中でも〝キャッチすること〟の大切さに通じるものですが、今度は反対にお母さんの方からなにかを伝えたい時のコツをお教えしましょう。

たとえば朝「早く起きなさい！」から始まって、「片づけしなさい」「先に宿題しなさいよ」「もうゲームはやめなさい」「ご飯よ、いらっしゃい」「もう何時だと思ってるの？　早く寝なさい！」まで。

一日を振り返ると、子どもへの言葉かけのほとんどが「○○しなさい！」「早くして！」「○○しちゃダメでしょ！」なんて指示や命令、禁止ばかり、なんてことはありませんか？

さらに「あなたは○○ね」「あなたは○○なんだから」というような批評や評価の

言葉かけも、ついつい多く使いがち。

こうした言葉かけは、コミュニケーションというより一方的な押しつけや決めつけ。私もそんな否定的なメッセージをペコに送っては、ことごとく「だって……！」と反抗され、結局〝売り言葉に買い言葉〟になってエスカレートしてしまう、という失敗をやらかしていました。

そんなとき最上《もがみ》コーチが提案してくれたのが、「私メッセージ」という伝え方だったんです。

「あなたは？」という「あなた」を主語にしたメッセージを、「私」を主語にしたメッセージに変えてみる。


「お母さんはうれしい／悲しい」

「お母さん、困っちゃうな／助かるな」

「お母さんは、こうして欲しいな」


そんなふうに「私」を主語にして、自分の気持ちをまっすぐメッセージすると、不思議なもので、声を大きくしてむりやり伝えようとするよりも、かえって子どもに伝わるのです。

同時に、「私は、そのことについて本当はどう思っているんだろう……」と、自分の気持ちをあらためて考えてみることで、思わぬ発見もあったりします。

力づくで押しつけようとする〝一方的な言葉がけ〟から、相手を理解し共感しようとする〝双方向的な言葉がけ〟へ。

まさに「押してもダメなら引いてみな」

いくら言っても言うことを聞かない、なんていう時は、一度試してみてください。

決めワザ5 「リフレーミング」色メガネをはずす

人には、たくさんの「考え方の枠（フレーム）」があります。こうした思い込みの枠をはずして組み替えることが、リフレーミングです。

とくに子育てに対しては、誰にでも実にさまざまな思い込みがあるものではないでしょうか。

「子どもとは○○なものである」「子どもとは／母親とは、こうでなければならない」「子育てとはこうあるべきである」あるいは、「うちの子は○○だから〜」「私は○○だから〜」というふうに。

でも、その思い込みは本当に正しいものなのでしょうか。もし、その色メガネをはずしたら、子どもはどう見えるでしょうか。

たとえば、「うちの子が言うことを聞かない！」ということで悩んでいたとします。

そんな時に、

「子どもは親の言うことを聞くものだ」「聞くべきである」という枠組みを一度はずして、「子どもは親の言うことを聞かないものだ」という前提に立ってみるのです。

すると、子どもが言うことを聞かなくても「どうして言うことを聞かないの!?」ではなく、「どうしたら言うことを聞いてくれるだろう」という気持ちになれます。

問題解決に向けて、具体的な対策を考えられる状態にようやくなれるのです。

「子どもは言うことを聞くものだ↓聞かないのは悪い子だ。親のやり方が間違っている↓怒り、非難、攻撃」のパターンから、

「子どもは言うことを聞かないものだ↓聞かなくても当たり前。どうしたら聞いてくれるか考える↓聞いてくれると嬉しい↓感謝、共感」のパターンへ。

前提を変えることで、子育てを悪循環から善循環へと180度変えるのも、決して不可能ではありません。

視点を変えるためには、「自分のいまの立場を、相手とチェンジしてみる」のも効果的です。つまり、子育ての場合だったら、「もし私が子どもの立場だったら?」あるいは「自分が子どもの時はどうだったか?」を考えてみるんです。

では……

「あなたは子どもの頃、いつもお母さんの言うことを聞いていましたか？」

「その時のあなたの気持ちはどうでしたか？」

「お母さんは、いつもどんな言い方をしていましたか？」

「言うことを聞かなかったとしたら、その理由はなんですか？」

どうでしょう、少し子どもの気持ちが見えてきはしませんか。私たちはいつも〝お母さん〟という視点で〝子ども〟を見てしまうけれど、振り返れば誰にでも子どもだった時代はあるわけですね。

「お母さんの〝言うこと〟は本当に正しいのか」

「お母さんが〝言わなければ〟どうなるのか」

「お母さんが〝言うことを聞かせたい〟、本当の理由はなんなのか」

そんな問いかけを通して、現状を違った角度から見ることもできるでしょう。

「いくら言ってもダメだわ」

「いったいなにを考えているのか、ちっともわからない」

そう嘆く前に、まだまだ試してみることはたくさんありそうです。

決めワザ6　「質問」問いかけて答えを引き出す

コーチングでは、問いかけることでクライアントの心の中にある問題を明らかにしたり、本人も気づいていない思いを引き出したりしていくのですが、その時「どうして」という言葉は要注意、という考え方をします。

「どうして?」という言葉には、えてして非難や問いつめるニュアンスがつきまとうからです。

「どうして、あなたは言うことを聞かないの!」

「どうして、すぐ叩くのっ!?」

「どうして、いつもあなたはそうなの?」

子どもに対してつい言ってしまうこうした言葉がけ。私もしょっちゅう使っていました。いえ、いまでも意識していないとつい出てしまいます(苦笑)。だけど、こう問われて、子どもは「それは○○だからだよ」と答えられるでしょうか。

攻撃的な言葉に対して、人はたいてい反撃するか逃げるか、あきらめるかしてしまうそうです。これらの言葉に対して、子どもが「だって……」と言い訳したり、「そんなことしてないもんっ！」と逃げたり、なにも言い返せずに黙り込んだりするのも、無理のない反応なんですね。

たとえば、あなたが仕事をしていて、なにかミスをしたと想像してください。そして上司が怖い顔で、

「どうして、こんなミスをしたんだ?!」

と聞いたとしたら？

とうてい答えられる雰囲気ではありませんね。せいぜい、

「はい、すみません……」

そう答えるのが精一杯でしょう。

「いえ、それは、こうこうした理由で……」

とでも返そうものなら、

「言い訳するんじゃない！」

なんてかえって怒られそうです。

これでは、「理由を明らかにしたい、あなたの考えを聞きたい」というメッセージは伝わりません。「単に自分の怒りやイラだちを相手にぶつけているだけ」と言ってもいいでしょう。

じゃ、そんな時コーチングではどう言うか。

それは、

「どうして、なぜ」の代わりに「どうしたら、なに」を使うのです。

「ミスしたのはなにが原因だと思う？」

「どうしたらミスを防げただろう？」

そこには相手を批判したり、否定したりするニュアンスはありません。

「あなたが悪い」といった前提をはずして、対等な立場で、いっしょに原因を探そうとする姿勢こそが大事なんだと思います。

たとえば……

「学校に行きたくないのは、なにが原因かなぁ？」

「どうしたら、行けるようになると思う？」

子どもに問いかける時は、くれぐれも詰問になったり問いつめたりしないように注意して。「どうして？」で答えが返ってこないようなら、こんなふうに言い方を変えてみるのもいいかもしれません。

子どもに問いかける時に、もうひとつ気をつけたいのは、「なるべく時間をかけて、ゆっくりと聞く」ということです。

大人でも「早く、早く！」と急《せ》かされて考えるのは難しいもの。子どもならなおさらです。子どもの心をむりやりこじあけたり、答えを根掘り葉掘り探そうとしては、本当の気持ちはかえって隠れてしまいます。

また、前の決めワザ「リフレーミング」でも触れたように、思い込みの枠や色メガネをはずすことも前提です。それがあっては、やはり子どもの本当の心は見えません。

親というものは往々にして、自分の予想した答えをすでに用意しているものです。ペコの登校拒否事件の時の私のように、「学校に行きたくない理由は、きっと先生に怒られたか、友だちとケンカしたか、勉強がわからないか。そんなところだろう」なんて先入観で話を聞き出そうとしても、これまた誘導尋問になるのがオチです。

「ね、どうしたの？　どうして学校に行きたくないの？　先生に怒られた？　それとも友だちとケンカしたの？　どっち？　友だちじゃないの？　ね、ひょっとして〇〇ちゃん？　どうなの？　ちがうの？　じゃ、××ちゃん？」

……これじゃ、せっかく想いを伝えたくても言い出せませんね。

そのうえ、幼いうちは、なおさら予想もつかない答えが返ってくるかもしれません。

そういえば最上《もがみ》コーチは以前、「家に置いてあるクマのぬいぐるみをひとりぼっちにするのがイヤで、学校に行きたくない」と言っていた可愛い小学1年生の話を教えてくれました。

先入観をはずして答えを用意せずに聞く。これも意識してみてくださいね。

決めワザ7 「沈黙」 ときには黙って待つことも大事

前項で、「子どもに問いかける時には、なるべく時間をかけて、ゆっくりと聞く」と書きましたが、そんな時に威力を発揮するのが、この〝沈黙のスキル〟です。

えっ、沈黙のスキルってなに？

なーんて声が聞こえそうですが、要はなんてことない、つまりただ「黙っている」ということ。口をはさまずに、ただ黙って待つ。きっと、答えてくれると信じて子どもが答えを考える間、静かに待ってみるのです。

でも、これがまた実に難しいんですね。

「どうなの？」

「○○じゃないの？」

「お母さんはこう思うけど？」

「こうしたら、ああしたら？」

と急《せ》かしたり、先回りして言ったり、答えを押しつけたり……。

とくにお母さんの側に時間的余裕や精神的余裕がないと、じっくりと黙って待つことは至難の技です。

でも、だからこそ、ここは「お母さんがコーチになったつもりで」、答えを待ってみてください。

とはいっても、怖い顔をして、いかにも「早くしてよ！」とイライラしながら沈黙するのではありませんよ。それじゃ、かえって子どもは答えを言い出せなくなってしまいます。

少なくともゆっくり3つ数えるくらいは口をはさまない。ゆっくりしたペースの子どもなら、なおさらゆっくり黙る。じっくり待つ。

沈黙も、立派な子育てコーチングの決めワザなんですから。

決めワザ番外編　「信じる」　答えは子どもの中にある

コーチングには、「答えは必ず相手の中にある」という言葉があります。コーチは、クライアントの中から必ず答えが出てくるはずだと信じて、問いかけ、答えを待ち、また傾聴しながらコーチングを重ねていきます。そこには、相手に対する基本的な信頼がなければなりません。

子育てコーチングも同じです。

もちろん、子どもからはいつも正しい答えが出てくるとはかぎりません。けれど、できるかぎり子どもの出した答えを大事にしてやりたいと思うのです。

自分の出した答えと人から与えられた答えでは、まるで違います。先のダダの解決法で述べた、「代案は子どもの口から言わせる」と同じように、本人の達成感や納得の度合いが違います。

くれぐれも子どもの出した答えを、否定したり、無視したりしないように気をつけていただきたいのです。

あきらかに間違った答えを出すこともあるはずです。とうてい実現できないアイデアだってあるでしょう。でも、そこで子ども自身まで否定するのではなく、

「そうか、あなたは、そう思うんだね」

「よく考えたね」

と、ここでもやはりいったんは受け止めて、

「でも、そのやり方は○○かもしれないね」

「他にもなにか方法はないかなぁ」

というふうに、手助けをしながらいっしょに答えを探してみてください。

あくまでも最終決定権は子どもに渡すように、子どもが自分で決めたと感じられるようにするのがポイントです。そうすることで本人が納得できるのです。納得するほどやる気にもつながります。実現の可能性も大きくなります。

子どもが自分で考えて出した結論なら、それは親が押しつけたものより、ずっと意味があるのだと思います。

マネしてみよう！子育てコーチング〔事例編〕

さあ、あなたもコーチングの考え方や具体的なスキルを使って、実際に自分がいま気づいている問題にチャレンジしてみませんか？　とにかくまずは試してみることです。やってみて、子どもの変化を、自分の変化を、観察してみましょう。

なんらかの変化があると、続けることが楽しくなります。もっとがんばろう、という気になります。ダイエットと同じですね（笑）。

ただひとつ気をつけたいのは、いくら変化があるといっても、その変化にもさまざまな幅があるということです。ダイエットを続けていても、毎日規則正しく100グラムずつ痩せていくわけではありませんね。急に1キロ近く減ったかと思うと、何日も変わらなかったり、逆にちょっと増えてしまったり……。でも続けていれば、からだはだんだん軽くなります、気分もぐんぐん軽くなります。半年もすればきっと目標のスタイルが手に入っていることでしょう。

あせらず、あわてず。変わらないところを嘆くより、変わったところを見つけ、認めながら、楽しみながら〝子育てコーチング〟に取り組んでみてくださいね。

お母さんの気持ちがどれだけラクになったか……。

前より子育てを楽しめるようになったか……。

子どもの笑顔がどれだけ増えたか……。

そんな変化こそを、効果の指標にしてください。

ここでは、コーチングを使って子育ての悩みをセルフコーチングしたり、子どものコーチとしてサポートしていくことで問題を乗り越えた、いくつかのケースをご紹介してみましょう。

子育てコーチング〈ケース1〉

子どもの「ヤダヤダ！」をどうする？

なんでも「ヤダヤダ！」の反抗期。
ところが「リフレイン」の会話で、
ママも子どももうんと楽になった！

4歳のゆいちゃんは年中さんになったばかり。いままではおとなしくて、引っ込み思案だった方なのですが、最近ずいぶん自己主張するようになりました。
ゆいちゃんには2歳下の妹あきちゃんがいるのですが、これまでは妹の面倒もよく見てくれる、やさしいお姉ちゃんだったのです。ところが、いままでは「ゆいちゃん、〇〇してくれる？」とお願いしても「ヤダ！」。あきちゃん見ててね、と言っても「いや！」。逆にお手伝いでは、「ゆいちゃんがやるの！」「これしたい！」「あれがいい！」。思いどおりにならないと、いつまでもグズグズ言っています。つい先日、デパートに行った時には、妹と同じように「抱っこして！」「あきちゃんだけズルイ～」と言い出して、大泣きしてしまいました。

「お店で泣いてダダをこねることなんてなかったのに……」お母さんは自信をなくしてしまいました。「素直なゆいはどこへ行っちゃったんだろう……」「いままでの子育てが間違っていたんだろうか」と思ったり。

ご主人に相談しても、「いままでお利口すぎたんじゃないの？　ちょっと遅ればせながら、反抗期をやってるんだよ。そんなにむきにならなくてもいいんじゃないの」と笑うばかり。「それに、前はゆいがちっとも自己主張しないから、○○ちゃんみたいにはっきり言うようになって欲しい、なんて言ってたじゃないか。ようやく自己主張し始めたんだから歓迎しなくちゃ」なんて言う始末。

「そうだっけ？　私、そんなこと言ってたっけ？」

そんな時お母さんはコーチングに出会い、「子育てコーチングでは、まず子どもの気持ちをそのまま受け止めてあげること、そのためには子どもの言葉をくり返すこと、ダダやワガママを力づくで抑えようとしてもかえって火に油を注いでしまうこと」などを知り、それを実践してみることにしました。

「公園から帰る時、ゆいがさっそく『帰るのいやだ！　もっと遊ぶ～』と言い出したので、ここだ！　と思い、『そう、帰るのいやなんだ？　もっと遊びたいよね』とくり返したら、一瞬ゆいが目を大きくしてびっくりしていました。普段なら『なに言ってるの！　もう時間でしょ』なんて怖い顔で言ってたのに、私がニコニコしてそんなこと言ったので驚いたみたいですね（笑）」

さらに「そっか、そんなに楽しかったんだ～」と言うと、「うん、楽しかった！」とニコニコ顔になったゆいちゃん。すると、もうそれで納得したのか、なにごともなかったかのようにおもちゃを片づけ始めました。

いままでは、ここで「なに言ってるの！」「やだ、もっと遊ぶ～！」と、ひともめしていたのに、この違いに「いままでの苦労はなんだったの?!」と、お母さんはすっかり拍子抜けしてしまったそうです。

それからは、ゆいちゃんが「ヤダヤダ！」と言っても「そっか、イヤなんだ～～」
「ぜったいダメ！」と言っても「そうなの、ダメなの？」、「ゆいがする！」と言っても「うんうん、ゆいがしたいんだね」……。

「すると、私がああだこうだと説教したり説明したりしなくても、ゆいの方から『だって、～だもん』なんて理由をしゃべってくれるんですね。なんだか、子どもの気持ちを受け止めるコツがわかった気がします」とお母さん。

ゆいちゃんも自分の気持ちを言葉にして、お母さんに受け止めてもらうことで気がおさまるのでしょう。ダダもこじれることが少なくなってきました。

☆ワンポイントコーチング

子どもの気持ちを受け止めたことを、シンプルに返すのが〝リフレイン〟。語尾をくり返したり、一部をくり返したり、気持ちを想像して「嬉しいんだね／悲しいんだ／くやしいんだね」と返したり。慣れてくると、相手の話のポイントを要約して「それはこういうことなんだね」とひとことで言い返す、といったこともできるようになります。でも、まずは語尾をそのままくり返す〝必殺オウム返し〟から、トライしてみましょう。

子育てコーチング〔ケース2〕

子どもに片づけして欲しい！

毎日「片づけなさい！」でもうウンザリ。
でも、いつものガミガミをやめて、
子どもたちにいろいろ問いかけてみたら……。

小学校4年生のまあくんと2年生のかずくんはやんちゃなきょうだい。元気なのはいいけれど、ちょくちょくハメをはずすのがお母さんの悩みの種でした。しかもふたりで夢中で遊んでいると、少々声をかけたくらいじゃ聞こえない。

「もう、一日中どなってばっかり。のどもかれて疲れちゃいますよ〜」

しかもいちばんの課題は、お片づけ。いまふたりでひとつの部屋を使っているのですが、いくら言っても言っても部屋の中は散らかし放題。服はぬぎっぱなし、おもちゃは出しっぱなし、お菓子のゴミは置きっぱなし。そこへまた毎日のように友だちが遊びに来るものだから、ちっとも片づきません。

そんな調子だから、なくしもの、忘れ物もしょっちゅう。明日の学校で必要なものが「見つからない～！」と寝る前になって大騒ぎになるのも日常茶飯事でした。

もともとお母さんは、「できるだけ子どもたちにやらせる主義」。「でも、言っても、どなっても、怒っても、脅しても、やらないのにほとほと疲れちゃって。言うのももうしんどくなって。でもこのままじゃ、ちっとも問題は解決しないし……」

そこでお母さん、ふと思いついて、子どもたちに尋ねてみることにしました。

「ねえ、お母さん、もう『片づけなさい！』って言うのしんどくなったし、もうふたりとも自分でできると思うから、もう言わないでおこうと思うんだけど」

ふたりともきょとんとした顔をしています。

「だから代わりに、ふたりでどうしたらもっときれいになるか考えて欲しいのよ」

「えーっ、そんなこといってもわかんないよ」とかずくん。

「そっか、わかんないんだ？　なにがわからない？」

「だって、どこから片づけたらいいか、なにをすればいいのか」

それでみんなは子ども部屋に行ってみることにしました。

「じゃね、なにがいちばん散らかってると思う？」

「まず服がいっぱい。あとはゲームとかおもちゃだね」

「そうだね、服があちこちにあるのが目につくよね。服はどこに直したらいい？」

「服はこのハンガーラックと引き出しでしょ。じゃ、ここにちゃんと掛けられるように場所あけとかなくちゃ」とお兄ちゃん。

「それなら僕も掛けられる！」とかずくん。

「服がなくなったら、ずいぶんすっきりしたよね。さ、次はなにかな？」

そうやってひとつひとつの課題をはっきりさせて、順番に決めていくと、子どもたちの中から解決策がどんどん出てきました。最後には「寝る前には一度、ふたりで部屋を見ること。服やおもちゃやお菓子が散らかっていないかをチェックして、それぞれ決めた場所に片づけること」を約束しました。

「いままで私はとにかく『片づけなさい！』としか言ってなかったけど、こうして問題を細かくしていっしょに考えることも必要なんだわ」と気づいたお母さん。また、子どもたちが思ったよりしっかり考えて、ちゃんと話し合いになったことを頼もしくも感じました。

「これでしばらく試してみて、もしうまくいかなかったら、またその時に話し合ってみよう」

そう決めて、お母さん自身の気持ちもすっきりと片づいた気がしたのでした。

☆ワンポイントコーチング

部屋が片づいていないと、ついお母さんとしてはそれだけでイライラしてしまいますね。「早く片づけなさい！」「また散らかして……」「どうしていつもそうなのっ！」と、つい非難や攻撃の言葉がけが増えてしまいます。でもとくに小さい頃は、「部屋を片づけなさい」と言われてもなにから取りかかればいいのかわからない、考えつかないことも多いのです。

そんな時は、質問していくことで、問題を小さくして、行動に移しやすくしてあげるサポートが必要です。大きな問題をこまかく分けていくことを、コーチングでは〝チャンクダウン〟と言います。子どもが行動に移せないでいるのは、やりたくないのか、それともわからないのか、そこを見極めて、ときにはチャンクダウンしてみることも有効なんですね。

子育てコーチング〈ケース3〉

朝、子どもが自分で起きるようにするには？

朝ちっとも起きなかった子が、
自分で起きるようになった、
そのキッカケの言葉とは？

小学3年生のえりかちゃんは、とにかく朝が苦手。お母さんが何度も声をかけて、からだをゆすってようやく起こしても、まだ寝ぼけ眼《まなこ》。でもお母さんは朝食の準備やお姉ちゃんのお弁当もつくらなくっちゃいけません。そうやってつい時間が過ぎると、今度は「もうっ、7時45分やんか。遅刻しちゃう、なんで起こしてくれんかったん?!」と怒りながらバタバタと階段を降りてくる始末。

「ちょっといい加減にしなさい！　お母さん、何度も起こしたわよ」

「でも、私が起きてないんだから、ちゃんと起こしてないってことでしょ！」

とケンカになることもしょっちゅう。「もう、なんで朝っぱらからケンカしなきゃいけないのよ！」と、朝からぐったりしてしまいます。

そこでお母さんは一計を案じました。ママ友だちにもあれこれ聞いて、朝の対策をリストアップしてみたのです。

●自分で起きられそうな新しい目覚まし時計を買う。
●夜は9時までに寝るようにする。
●これからお母さんは一切起こさない。
●あるいは一度は起こしてもいい。
●だけど、遅刻しても自分の責任。学校の先生にもそう伝えておく。
●お母さんが怒られるのは納得いかない。怒られるようなら、もう起こさない。

いろいろなアイデアやお母さんの気持ちを文字にしてみました。そして、その中から、えりかちゃん自身に対策を選んでもらうようにしました。

そして最終的に決まったのは、目覚まし時計を買うのと、夜9時には寝るよう努力すること。そしてそれでも起きなければお母さんが一度だけ声をかけるけど、もう後は本人に任せることを決めました。

そして、それを紙に書いて冷蔵庫に貼っておきました。

さて初日、えりかちゃんは前日早く寝たのも功を奏したのでしょう、7時過ぎには自分で2階から降りてきました。本当にちゃんと起きられるのかしら、と半信半疑だったお母さんはびっくりして……

「まぁ、ひとりでちゃんと起きたのね！　すごいじゃない。お母さん、ほんと助かるわー」と心からの声がけができました。

えりかちゃんも、まんざらでもなさそうな顔で「あたりまえじゃん」なんて言っています。

そんな日が3日ほど続いたのですが、4日目は7時半になっても降りてこず、とうとうお母さんは約束どおり、一度だけ起こしにいくことにしました。

「もう7時半だよ」

心づもりのできていたお母さんは、「起きなさいっ！」ではなく、ただ事実を伝えることにしました。

あわてて目を開いたえりかちゃん、「えっ！　なんで？　目覚まし鳴ってないじゃん」と不満げでしたが、お母さんは感情的にならずに、

「約束どおり、起こしたからね〜」と1階に降りていきました。

そんな毎日が続いて一カ月、えりかちゃんはひとりで起きることにもだいぶん慣れてきたようです。お母さんはそのたびに、

「おはよう！　きょうも起きられたね」と声をかけることを忘れないようにしました。

「本当に朝がラクになって気分もいいので、『おかげで、朝、気持ちいいわ！』と素直に言葉がかけられるようになりました」とお母さん。

「思えばいままでは、とにかく頭ごなしに『早く起きなさい！』『どうして私が何度も何度も起こさなきゃいけないの』っていうふうに、はなから批判的、攻撃的になっていたのかもしれませんね。感情的になって、売り言葉に買い言葉でますますケンカに火をつけていたのかも。いまでも朝ねぼけて文句言ったりすることもあるけど、もう私はそんな不機嫌さにはつられずに、知らん顔できるようになりました。すると、えりかも我に返るようで、前のようにモメることも少なくなりましたね」と笑うお母さんです。

☆ワンポイントコーチング

子どもを毎朝起こすのにひと苦労！　という悩みもよく聞きますね。いろいろなやり方が考えられますが、小学校の3年生ともなれば、子ども自身に対策を選ばせた方が、本人の自覚と責任を意識させる上でも効果的です。

実際の対応では、「できたこと、起きられたこと」に焦点を当てて、認め、ほめることが本人のやる気につながります。「お母さん、助かるわ」「気持ちいいわね」といった素直な〝私メッセージ〟がえりかちゃんの心にも届いたようですね。子どもに「朝起きるのは自分の仕事、自分の責任だ」と認識させることができたら、後はそのときどきの子どもの眠気やイライラに巻き込まれず、お母さんが冷静に対処することもポイントでしょう。

子育てコーチング〔ケース4〕

甘えん坊の子を自立させるには？

いつまでも甘えん坊の6歳児。
「早く自立してよ〜」と急《せ》かしていたけど、
必要なのはもっと「甘えること」だったんだ?!

いま6歳のヒロくんは、どちらかというと甘えん坊タイプ。お友達と比べても体は大きい方なのに、いつまでも「ママ、ママ〜」とべったりなのでお母さんは心配していました。

おまけに年長になってからなぜか、もうすっかり卒業したと思っていたトイレの失敗が続いていました。つい先日も買い物の途中で派手におもらしをしてしまって、お母さんは大ショック！

「もうすぐ小学校なのに、どうしよう?!」

お母さんはいろいろな子育ての本を読んだり、勉強会に行ったりして、いろいろ働きかけをしてみたそうです。実家に泊まりがけで預けてみたり、幼児教室に通わせてみたり、あるいは話して聞かせようとしたり……。でもかえってヒロくんの甘えはひどくなっているようでした。

そんな時、ある臨床心理士の先生の「自立するためには、その前にしっかりと依存することが大事。しっかりと〝子ども〟をしてこそ、大人になることができる」という言葉を本で目にしたお母さん、「そうか、私は自立させよう、引き離そうとばかりしていたけど、それがかえって逆効果だったのかも」と目からウロコの体験をしたのだそうです。

それからは意識してヒロくんの甘えをしっかりと受け止めるようにしてみました。「ねえママ、聞いて、聞いて！」と言われたら、手を止めて、目を見て話を聞く。手をつないだり、抱っこなどのスキンシップも、いっぱいしました。

「もう、お兄ちゃんだから」「もうすぐ小学生だから～」なんて言い方はしないように気をつけました。

不思議なもので、「この子には、しっかり自立するために、いまたっぷり甘えることが必要なんだ」と考えることで、以前ほど周囲の目も気にならなくなりました。

そんな対応を続けてしばらくすると、なんだか前みたいにグズグズ言ったり、必要以上にベタベタくっついてくることが減ってきたんです。

一度などは「ママ、抱っこ〜！」と走ってきたヒロくん、両手を広げたお母さんを見て、「……と思ったけど、もういいや！」と言って、さっさとお友だちの方へ走っていったのだとか。最近では自分から「サークラ、さいたら、いちねんせい！」なんて歌も飛び出しました。

「小学生になるのを楽しみにしているようで、ホッとしています。あのまま、無理やり引き離したりしなくてよかった……。でも、こうしてかえって離れていくようになると、今度は私の方が寂しく感じたりしちゃいますね」

そう言って笑うお母さんでした。

☆ワンポイントコーチング

「幼児期にはまず基本的信頼を育むことが必要。その課題をクリアして初めて、人は次の段階へと進むことができる」という考え方は、エリクソンという著明な心理療法家が唱えた生涯発達課題という考え方です。ヒロくんのお母さんはその考え方に触れて、自分の考えを〝リフレーミング〟することができたんですね。そして〝傾聴〟し、触れ合うという方法で子どもをしっかりと受け止めることで、ヒロくんの想いは満たされてきたようです。

問題行動の裏にある気持ちはなんなのか……。無理やり力づくでやめさせよう、子どもを変えようとするよりも、いままでの枠をはずして原因を考え、どうすれば解決できるかを行動に移してみた、子育てコーチングの一例といえるでしょう。

子育てコーチング〈ケース5〉

「習い事をやめたい！」と言い出したら？

習い事をやめたいと言い出した娘。
やめたい理由を、
ただ素直に聞き出してみたら……。

「4種目マスターするまでがんばる！」と言っていた小学5年生のさきちゃんが、突然「スイミングをやめたい」と言い出したので、「なんかヘンだな」と感じたお母さん。

娘さんに対してこう聞いてみたそうです。

「なにかあったの？」

「水泳のコーチから『何度言っても直らないなぁ』って言われて、すごくイヤな感じ。もう行きたくない」

「そっか、そんなふうに言われたら誰だってイヤだよね。でも、あなたは泳ぐのも嫌い？」

「ううん、泳ぐのは嫌いじゃない」

「ふぅん、泳ぐのは嫌いじゃないんだ」

「うん、コーチがイヤなの」

「あぁ、コーチがイヤなのね。じゃ、どうしたい？」

「コーチが違う人だったらいいかな」

「そっか、コーチが違ったらいいんだ。じゃ、どうしたらいいと思う？」

「クラス変わりたい。そうだ、スイミングやめることないね」


そう言って、さきちゃんは自分でさっさと教室に電話してクラスを変えてもらい、その後、なにごともなかったかのようにスイミングに通い続けたそうです。

「なーんだ。案ずるより産むが易し。あれこれ悩むより、じっくり話を聞いてみるもんだなぁと思いました」と語るお母さんです。

☆ワンポイントコーチング

〝リフレイン〟を使って、娘さんの気持ちを上手く引き出し、問題点をはっきりさせたお母さん。すべてがこんなふうにうまくいくとは限りません。でもお母さんは、なにも難しいテクニックや特別な対応を使っているわけではありませんね。ぜひ一度、あなたも参考にしてみてください。

この時も、やめたい理由を勝手に予想したりしないで、素直な白紙の状態で聞くことが大切です。また、理由がわかったからといって「じゃ、こうしなさい！　ああしなさい!!」と結論を押しつけないようにも気をつけて。

子育てコーチング〈ケース6〉

子どものやる気を引き出すには？

子どものやる気を引き出すには？
うまくホメるコツは？
それは他人と比べず、良いところを見ること。

『あなたのお子さんの良いところを20個、挙げてみてください』

日頃から子育てについて考える機会も多く、また最近5歳のショウくんのことで悩んでいた勉強熱心なお母さんは、たまたま近くの公民館で行われていた子育てのセミナーに出かけてみることにしました。

そこで言われたのが、こんな冒頭の言葉だったんです。

「うーん、ショウのいいところね。悪いところならいくらでも出てくるんだけれど……」とお母さんは苦笑い。

『でも、悪いところ（とお母さんが思い込んでいるところ）も、180度視点を変えれば、良いところに変わるものです』という講師の方の言葉に促されながら、思いを巡らせてみました。

「いわゆるわんぱくで、ケンカも多いんだけど……。そうだな、よく言えば感情が豊か。表現力も豊か。しっかり自己主張できる。周りから見てわかりやすい。本人にストレスがたまらない」

などなどをシートに記入することができました。それをお互いに発表していると、「逆に、うちの子は全然自己主張しなくて、なにを考えているのかちっともわからないわ」と悩んでいるお母さんから見れば、ショウくんのような性格がうらやましいということも見えてきました。

『見方次第で、良くも悪くもなる、そのことを踏まえた上で、良い部分は伸ばして、悪い面は抑えるように対処していきましょう。それと、子どもをヨソの子と比べないこと。もし比べるなら、ヨソの誰かではなく、過去の自分と比べるのです。一カ月前、半年前、一年前の子どもと、いまとを比べてみましょう。子どもはきっと大きく成長していたはずです。その変化を、その進歩をホメてあげてください』。そんな言葉と、『きょうあらためて発見した子どもの良いところを、家に帰って、子どもさんにも伝えてあげてくださいね』という宿題を持って帰ったお母さん。

家に帰ってショウくんを見ると、不思議なことにあのいつもの「ダダこねのひどい手強いショウくん」ではなく、「感情豊かで自己主張のしっかりできるショウくん」に見えるのです。なんだかお母さんは「これまで色メガネをかけて見てたんだなぁ」ということに気づいて、我ながらあきれてしまいました。

ショウくんがいつものように「いやだ、こっちのお菓子がいい！」と言っても、いつもなら「もう、こっちにしなさい！」と抑えつけていたのに、「はっきり言えて、すごいすごい」なんて思ったりして。

そんなショウくんを見ていて、「うらやましい」と思っている自分自身の心の本音にも気づいて、ちょっとびっくりもしました。「私はふだん感情を表に出さない方だけど、それが知らず知らずのうちにけっこうストレスになっているのかも……」、そんなことも考えました。

そんなニコニコ顔で素直なお母さんに、いっしょうけんめいお手紙を書いていたシヨウくん。そこには、「大すきなおかあさんへ。ぼくはおかあさんのこと大大大すきです。お母さんはどれくらいぼくのことがすきですか。」というメッセージが書かれていたそうです。

☆ワンポイントコーチング

いつも身近にいて、いつもコミュニケーションをとっている母と子ほど、いくつものフィルターや色メガネ、思い込みに縛られているものです。だからこそ、常日頃から、その枠を壊したり、変えたり、組み替えたり、という〝リフレーミング〟を意識することが重要になります。

本を読むのも、人の話を聞くのも、自分自身に問いかけてセルフコーチングするのも効果的。前向きに、肯定的に、子ども&子育てをとらえられるよう意識してみることがスタートです。

子育てコーチング〔ケース7〕

いつもさわぐ子どもを静かにしたい！

外出先でさわぐ子どもたち……。
感情に振り回されず冷静に壁になることで、
問題を解決できた！

どちらかというと真面目で几帳面なタイプ。子育てにおいても、とにかく周りに迷惑をかけないようにと、いつも意識してきたお母さんにとっては、子どもをつれて公共の場に行くのがとても苦痛でした。

子どもたちは、わんぱく盛りのタッくん6歳とユウちゃん5歳。電車の中でもお兄ちゃんがウロチョロし出すとチビさんもじっとしてはいられません。ファミリーレストランなどでも、静かにお利口にさせておかなければと思うだけで、胃が痛くなってきます。食べた気がしないのです。

でも先日は仕方なくふたりをつれて電車に乗らなくてはいけなくなりました。その前にコーチングの本を読んでいたお母さんは、頭ごなしに怒らないこと、感情的になってしまわないこと、公共の場のルールとして守らなくてはならないところは毅然とした態度で壁になって譲らないこと、あるいはどうしようもない時は、その場を離れることなどを心に留めて、対処してみようと思いました。

まず電車に乗る前に、ふたりにしっかり話をすることにしました。

これまでは「ちゃんと静かにしてないと、車掌さんに怒られるよ」「お利口にしていたら、降りてからお菓子を買ってあげる」「また騒ぎ出したら、もう二度と電車になんか乗らないからね！」と、脅したり、ごほうびでつったり、とそれこそいろいろな手を使っていたのです。

でも、きょうは「コーチになったつもり」で子どもを信じて、冷静に対処してみようと考えました。

「お兄ちゃん、電車にはいろんな人が乗っているでしょう。大声を出して騒いだり、走り回ったりしたら、みんなどう思うかな？」

「どうしても静かにできなかったら、どうしようか？　どうしたらいいと思う？」

「静かにするために、なにがあったらいいかなぁ？」

そんなことを、問いかけていっしょにルールをつくりました。

「大きな声は出さないで、ふつうにしゃべる」

「座るか、ドアのところで立っておくか、決める。途中でうろちょろしない」

「お兄ちゃんはゲームを、ユウちゃんは絵本を持っていく」

「もし、約束が守れなかったら、電車を降りる」

などを3人で約束しました。

そして次の日、3人は電車に乗って10分ほど先の駅まで行くことにしました。

最初はふたりともとってもお利口にしていました。タッくんがちゃんとユウちゃんに「大きな声はダメだよ」なんて念押しをしたりして、「やっぱり、ずいぶんお兄ちゃんになったんだな……」と微笑ましく思っていたのに、すぐ隣りの線路を快速電車が併走し出して、ついお兄ちゃんは興奮。とうとうふたりでキャーキャー叫び出しました。

「あれ、約束は？」お母さんはつとめて平静にそう何度か注意したのですが、なんだか興奮スイッチが入ってしまったようです。

「ここで壁にならなきゃ！」と心を決めたお母さんは、次に止まった駅でさっさとふたりの手を引いて途中下車。

「アッ」と思ったけれどもう後の祭り。タッくんはしょぼんとしています。

ホームの片隅で、お母さんはしゃがみこみ、ふたりの目を見て静かに話しました。

「約束、守れたと思う？」

「ううん、ちょっとうるさかった」

「そうだね」

「どうしよっか、静かに乗れそうだったら、もう一度電車に乗ってお出かけするけど、もう無理だったら、きょうはこのまま帰ろうか。どっちにする？」

「今度は静かに乗れると思う」とタッくん。

「ユウちゃん、座って絵本見とくから、だいじょうぶ」

「わかった！　そうしてくれると、お母さん助かるな。今度はできるよね」

そうやって、少々時間はかかったけれど、3人が納得できる形でお出かけを終えることができたお母さん。

「なんだか、意識しておくことで、私が冷静でいられたのがなにより意外な発見でした。力づくで言うことを聞かせようとすると、きっとますます逆効果になってたんですね。なんだか、ずいぶんわかり合えるようになった気がします」

今度はファミリーレストランでも、同じようにいっしょに楽しい時間が過ごせるようトライしてみようと思ったお母さんでした。

☆ワンポイントコーチング

公共の場所でのしつけについては悩まれている方も多いはず。とくに周りの目が気になって、つい必要以上に怒ってしまう、というお母さんも少なくはないでしょう。こうした場所では、感情的になってしまう、ということを理解させなければいけません。でも、ただ「人に迷惑かけちゃダメでしょ」ではわからないことも。「走らない」「大声を出さない」など具体的な行動に〝チャンクダウン〟して、小さな子どもにもわかりやすいルールにしておくことがポイントです。そして「静かにできなければ電車を降りる」「途中でもお出かけを中止する」といった約束は、きっぱりと守ること。「せっかく出かけたのに」「かわいそうだから」と揺るがず、ときには壁になった気分で対応することも必要です。

子育てコーチング〈ケース8〉

子育てのイライラ、どうしたらいい？

帰り道で道草する子どもにイライラ……。
でも、セルフコーチングすることで、
本当の原因が見えてきた！

フルタイムで働く、とてもがんばり屋のお母さん。いつも明るくて、元気いっぱいといった雰囲気なのですが、どうも最近、ときどき妙にイライラしてしまう自分に気づいていました。

きょうも保育所の帰りに暗くなりかけた道を急いでいると、娘のはるかちゃんが花屋さんの前で立ち止まってしまい歩こうとしません。

「どうしたの？　早く帰ろうよ」

そう声をかけるのですが座り込んで花を見ているようで、「もうっ、先に行くよ！」

と大きな声を出してこれみよがしにさっさと歩いていってしまいました。

あわてて追い掛けてきたはるかちゃん。しょんぼりとした顔をしていましたが、ふとお母さんの手をひっぱって、不思議そうにこう聞きました。

「ねえ、お母さん、どうしてそんなに急いでるの？」

お母さんは「だって、早く家に帰って、晩ご飯つくって、早くお風呂に入って、早く寝なくっちゃ……」と言いかけて、なんだかおかしくなりました。いったいどこまで早くしたら気がすむんだろう、と自分でも思ったからです。

そこでお母さんは、まず深呼吸。セルフコーチングのつもりで、自分自身に問いかけてみることにしました。

「私はなにをそんなに急いでたんだろう？」

「私はなにに対して、あんなにイライラしていたんだろう？」

「子どもを急《せ》かしてまで、急ぐことのメリットは？」

「反対に急ぐことのデメリットがあるとしたら、それはなに？」

そうすると、帰り道を5分や10分、急がせてもたいしてメリットがあるとはとうてい思えません。しかも、自分がイライラするのは、実は仕事を家に持ち帰っていた日にかぎってひどいこと。そして最近、ちょっと疲れがたまっていること、などにも気づきました。

「そっか、無意識にも気持ちがあせって、憂うつになってたのかも。でも、これではるかに怒るのは八つ当たりだよね」

そう思ったお母さんは、さらにイライラという感情と事実を切り離して、「この状況を少しでも良くするために、いま私にできることはなんなのか」を考えてみました。

その結果、

●ご飯をつくって食べて、お風呂に入る、という用事はどっちみちしなければならないのだから、その間は仕事のことを思い悩まない。
●その代わり、10時には家事を終えて、仕事に取りかかれるようにする。
●そのために夫にも協力をお願いする、はるかをお風呂に入れてもらう。

などのいくつかの解決策を思いつき、おかげで気分的にずいぶんすっきりすることができました。

そして、はるかちゃんにも、

「はるか、お母さんちょっとイライラしちゃって、つい大声で怒って、ごめんね。お母さん、夜にもちょっと仕事をしなくちゃいけなくて、早く用事を終わらせたいから、ご飯の用意とかできること手伝ってくれる？　そしたらお母さん、とっても助かるんだけど」

と素直に私メッセージを伝えることができました。

はるかちゃんもすっかり機嫌を直して、

「わかった、いいよ！　でね、お母さん。さっきね、お花屋さんにね、きれいなガーベラのお花があったんだよ。お母さん、前に好きだって言ってたでしょ？」

「そっかぁ、はるかはそれで見てたのね」

「うん、教えてあげようと思って」

「そうだったんだ……。どうもありがとう。じゃ、明日の帰りにまた寄ってみようか」

「うん！」

つないだはるかちゃんの手が、いつもより柔かくあったかく感じられて、お母さんはなんだかホッと力が抜けたような気がしました。

☆ワンポイントコーチング

いつにも増して「早く！」を連発したり、イライラモードになっていたら、一度深呼吸してセルフコーチングをしてみましょう。いろいろな角度からイライラを見ることで、自分とイライラを切り離すことができます。そこから見えてくるものがあるはずです。はるかちゃんのお母さんも自分の気持ちを見つめることで、本当の原因に気づくことができたようですね。

またコーチングでは、このように「○○した時のメリットとデメリットの両方を挙げる」ことがよくあります。メリットがあるとすれば……。反対にデメリットがあるとすれば……。そんな両方の視点で考えてみることで、きっと思わぬ発見がありますよ。

第6章

どんどん子育てが楽しくなる！

「ダダの達人」を目指して

ダダっ子ペコちゃんとの日々の攻防に疲れ果て、そのおかげでコーチングに出会い、私自身も勉強を始め、そしてメールマガジンもスタートし、お母さんサポートのためのサイト「子育てコーチングくらぶ〈ダブルス〉」も生まれたわけですが、そう考えてみると、あれもこれも、みーんなペコのダダのおかげ。

そう、ダダが私の人生を変えたといっても過言ではありません（笑）。

それにしても、ペコが2歳くらいから始まったダダ。3歳になったらマシになるか、いや4歳になったらもう少しおさまるのか、いくらなんでも5歳になったらラクになるだろう……。

そんな涙ながらの切実な祈りも、ことごとく裏切られ、振り返ってみれば、ダダ歴5年……。

さすがに以前のように頻繁にはなく、激しさや、ややこしさも、ずいぶんマイルドになりましたが、やっぱりときどき爆発はするし、やっぱりつられて「いい加減にせんかいっっっ！」とどなったりする母なのですが。

それでもコーチングに出会ってなかったら、いま頃いったいどうなっていたことか……。

そして最近つくづく思うのは、ペコにとって〝ダダ〟はもう自己表現であり、ストレス発散であり、趣味であり、もう個性なんだなぁ、ということ。

くやしさや悲しさや怒りやもろもろをめいっぱい、私にぶつけてくれているんだ、ということ。

これをもし、全部ため込んで表に出さず、いつもニコニコしていたとしたら、その方がちょっと怖いかも。

大人だってそんなストレスを全部ため込んじゃったら、きっと病気になっちゃうでしょう？（そうか、病気って、身体がダダをこねてるってことかも？）

だから、もし子どもがワケのわからないダダをこねても、「ワケのわからないこと言うんじゃありませんっ！」なんて怒らないで。ダダに筋の通ったワケなんてないんだから（笑）。

そう、ダダはこねることに意義がある！
こねることでラクになる！
そんな気がするんです。

東に、道にひっくり返って泣く子がいれば、
行って、もっと手足もバタバタするといいよ、と教えてやり、
西に、お菓子の棚にしがみついて離れない子がいれば、
行って、お菓子欲しいよね！　と共感し、
雨の日は、傘なんて持つのイヤだと叫び、
風の日は、傘さして空を飛びたいと地団駄を踏む。
そんなダダを力づくで抑えようとせず、
理屈で納得させようなんてムダなこともせず、
ただ、ダダと遊び、ダダを楽しむ。
そういう〝ダダの達人〟に私はなりたい。

コーチングを始めて2年、私の〝ダダを見る目〟もずいぶん変わったものです。そして、この変化こそが、思えばいちばんの大きな収穫だったのかもしれません。

お母さんがハッピーなら、子どももハッピー！

そして、コーチングを受け始めてから、私が強く感じるようになったことがもうひとつ。

「お母さんがハッピーなら、子どももハッピー！」

この言葉は、私と最上《もがみ》コーチがメールマガジンを始める時に、そのキャッチフレーズとして掲げたものです。子育てコーチングくらぶ〈ダブルス〉のサイトにも、そんな想いが一貫して流れています。

もちろん、お母さんだけがハッピーならそれでいい、と言っているわけではありません。でもお母さんが苦しい、つらい思いをしているのに、ハッピーな子育てなんてできるわけがないと思うのです。

ちょっと変なたとえかもしれませんが、「空腹は最上のソース」という言葉がありますね。ハラペコなら、少々味加減がまずくても、見栄えが悪くても、それは最高においしい料理になります。ところが反対に、お腹がいっぱいなら、どんな豪華で美しい料理もおいしくはいただけません。

子育てだって同じです。お母さんの気持ちが安定していて、毎日をいきいきと楽しく生きていれば、子育てのいろいろなトラブルも悩みも、なんとか乗り越えることができるのではないでしょうか。

そう、お母さんのハッピーが、子育てを楽しく、おいしくするための、なによりの調味料としてのソース（sauce）であると同時に、ソース（source／源、水源、元、オリジン）でもあると思うのです。

どうか、子どものハッピーのためにと、あまり一生懸命になり過ぎないで。肩の力を抜いて、お母さんも子どももハッピーになれる方法を探していきましょう。

いま、あなたは自分自身をハッピーにするために、なにかを実行していますか。

自分自身をハッピーにするために、なんでもできるとしたら、いちばんなにをしてみたいですか。

あなたがハッピーであるために、絶対欠かせないものはなんですか。

これまでは、子どもを見つめ、子どもの気持ちを受け止めて、どんなふうに働きかけていけばいいかについて考えてきました。最後のこの章では、もう少しお母さん自身にも目を向けて、伝えたいことを綴っていきたいと思っています。

自分の感情を認めてあげよう

「マイナスの感情は、認められることで小さくなる。否定されることで大きくなる」という法則。実はこれ、お母さん自身にも当てはまるんです。

日々、子育てに奮闘しているお母さんは、子どもの一瞬一瞬にイライラしたり、カッとなったり、ショボンとしたり、不安になったり……と、さまざまなマイナスの感情の波にさらされています。

そんな大波小波に巻き込まれることなく、いつもニコニコしていられればなにも問題はないのでしょうが、そうはいかないのが凡人というもの（笑）。

そこで大きな力になってくれるのが、客観性なのです。

私の場合は、コーチという存在が客観的になる手助けをしてくれましたが、なにも実際にコーチを雇わなくても大丈夫。

どうぞ、お母さんの心の中に、コーチ役を務めてくれそうな〝もうひとりの自分〟をいつもスタンバイさせておいてください。

そして、マイナスの感情に気づいたら、その小さなコーチに、その気持ちを受け止めてもらってください。

心理学的な自分探しの方法として注目されている「フォーカシング」では、そうした、感情と少し距離を置いて自分を客観的に見つめる方法として、「いま、私は怒っている」「私は悲しい」と言うのではなく、「私の中に怒りがある」「私の一部が悲しさを感じている」というふうに表現することを勧めています。

自分と感情と同一化してしまうのではなく、脱同一化へ。そうすることで、荒波に飲み込まれるのを防げるというわけですね。

もし、ここで「私は怒っていない」「私は悲しくない」と否定してしまうと、その感情は行き場を失ってしまいます。いったんはおさまっても、ムリを続けるうちに、どこかでストレスがたまっていきます。そして、いつか爆発します。

「良妻賢母でなくっちゃ！」という思い込みの強い真面目なお母さんほど、この悪循環に陥りやすいのではないかという気がするのです。

感情に良いも悪いもない。子どもに接するのと同じように、自分が感じているそのままを認め、受け止めることで、また新しい気づきが生まれるのだと思います。

笑顔のチカラ

さて、ここで突然ですが質問です。

いま、あなたの眉間にはギューッと力が入っていませんか？

深刻な心配事があるなら仕方もないけれど、ふと気づくと無意識のうちに眉間にシワを寄せていた、肩に力が入っていたなんてこと、ありませんか？

私がそのことに気づいたのは、またまたこんなポコの言葉からでした。


ポコとふたりでお風呂に入っていた時のことです。

ポコが何気なく、聞きました。

「お母さんの目と目の間って、どうしていつもギューッてなってるの？」

えっ？

私はちょっと意外でした。ゆっくり湯舟につかってホッとしているつもりだったから……。でも眉間にはギューッとシワを寄せていたんですね。

きっと、お風呂の後も、「子どもたちを寝かせたら、食器を片づけて、洗濯機回して、それからあの仕事もやらなきゃ！」なんて思っていたんでしょう。

でも、お風呂の中でまでシワ寄せなくていいのに。

我ながらそう思いました（笑）。しかも、シワを寄せていることに自分では気づいていないなんて！

ポコの目には、いつもその顔が映っているのかと思うと、ちょっと寂しくなりました。

お皿を洗っている時、

バタバタと部屋を片づけている時、

子どもがなにかするのを待っている時、

パソコンに向かっている時、

ただ道を歩いている時……。

確かに、ふと気がつくと眉間にギューッと力が入っていることがよくあります。

そういう時は、ふっと力を抜いてみます。すると、眉間がすーっと開いて、気持ちも軽くなります。

最近面白い話を聞きました。なんでも眉間のところには気分を滅入らせるツボがあって、そこに力を入れていると、自分でわざわざマイナスの気分にしているようなものなんだそうです。

反対に口角の横には、明るく楽しい気分にするツボがあって、そこを刺激すると、実際はどうであれ（！）楽しい気分になるのだとか。にっこりと笑っていると、自然に気分まで明るくなるということなんですね。

なんでも、アメリカの大学が行った実験でも、笑顔をつくるように表情筋を動かすことで、脳が刺激され、脳波がリラックス状態を表す「アルファ波」になることが実証されているそうです。

そういえば、長年保育士をされているある方が、

「なにがあっても、その子らしい笑顔が出ているようなら、大丈夫よ！」

とおっしゃっていたのを思い出しました。私の大好きな、子育ての指標です。


お母さん、最近笑っていますか？

子どもさんは、素敵な笑顔を見せてくれていますか？

お母さんの気持ちをコントロールするために、常日頃から笑顔を心がける、というのも具体的でユニークなアイデアかもしれません。

コーチングの〝御利益《ごりやく》〟とは

受け止めることと同様に、くり返し触れてきたのが「色メガネをはずす」というお話です。

フィルター、思い込み、色メガネ、既成概念……。いろいろな言い方ができると思います。誰でもこうしたものを通して、世の中を、子どもを、見ているわけですね。

もちろん、その見方が、私らしさやあなたらしさでもあり、それをすべて無くすことなどできません。

でも、大切なのはそんなメガネの存在に気づいていること。そしてメガネさえ変えれば、世界はまた違ったものに見えるのだと、思えること。

コーチングではこうしたメガネをはずしたり、変えたりして、クライアントが事実をより把握できるよう、サポートを行うこともよくあります。最上《もがみ》コーチはその実例をこんなふうに説明しています。

＊　＊　＊

コーチングでは、クライアントが話す事柄を、事実と解釈に分ける作業から始めます。そして、新しい解釈をつけるお手伝いをしています。

自分のことだと夢中になっていて、ひとつしか考えられない解釈も、他人の話になるといろんな解釈をつけられるから不思議です。

たとえば、働きに行くことを許してくれない夫は、「時代遅れの考えを持つ人」という解釈もつけられますが、「働きに行って、外の世界を見た妻が、自分のことを忘れるんじゃないかとビクビクしている人」という解釈もつけられます。

「働きに行くことで、妻が社会の荒波の中で傷つくのではないだろうかと心配している人」あるいは「自分だけの稼ぎで食べさせているんだという優越感を保ちたい人」「妻をひとり占めしたい人」「ひとりになったら、寂しくてたまらない人」というのもあるかな。

他にもいろいろ考えてみてください。

いろいろな人が、いろいろな事柄に、いろいろな前提や思い込みや解釈をくっつけています。そういう目でテレビの会話を見ていると、結構楽しめます。

人には先入観や思い込みがあるものだと考えて、あえて「別の解釈をくっつけたらどうなるんだろう」と遊んでみませんか？

＊　＊　＊

そういえば、以前、取材したある僧侶の方が、こんなお話をしてくださったことを思い出しました。

「よく御利益、御利益と言われますけれど、御利益というのはお金が儲かるとか、健康になるとかということではなくて、〝その人の価値観が変わること〟なのではないかと、最近思います。神社にお参りしたり、仏様に祈ることで、その人がなにかを感じ、なにか答えを見つけて、価値観が変わること……。それこそが、最も大きな御利益だと言えるのではないでしょうか」

人が持つさまざまなメガネの中でも、生き方全般に関わるとても強固なメガネのひとつが、人生の価値観と言っていいでしょう。

それが変われば、確かに人生そのものが違って見えたとしても不思議ではありません。そして、それは自分で自分の心に自問自答する〝セルフコーチング〟を通しても実現することのできる、ありがたい〝御利益〟だと思うのです。

「完璧な母親」より、「ほぼ良い母親」で十分！

座右の銘を聞かれると（ま、滅多にありませんが）、私はいつも「ま、いっか。です」と答えることにしています。

そのキッカケは、こんなことでした。

＊　＊　＊

ある雑誌で「子どもに対するイライラや怒りをどうしずめるか」といったテーマに対するいろいろなアイデアを掲載していました。

●隣の部屋へ行く
●トイレにこもる
●クッションなどを壁に投げる
●誰かに電話してグチを聞いてもらう
●子どもの赤ちゃんの頃の写真を見る
●なにかに書きつける

確か、
●お父さんに当たる
なんていうのもありましたっけ（笑）。

その中で私が面白いなぁ、と思ったのが、
●「ま、いいか」と声に出して言う

でした。


この、実際に声に出して言う、というのがミソ！

試しに一度言ってみてください。


「ま、いっか♪」


こんな感じ。

なんだか肩の力が抜けませんか？

眉間のシワも自然にのびるでしょう？

子どもに対してイライラしている時って、肩にもおでこにもギューッと力が入っているもの。こんな状態じゃ、なにを見ても、なにを聞いても、悪いようにしかとらえられません。それ以来、思い出すたびに口にするようになりました。

保育所にお迎えに行っても、ポコがなかなか帰らず園庭で遊んでいる時も……。

焦って夕飯をつくっている時に、ペコが「私もなにかやるー、なにか切りたいー！」

とぐずり出しても……。

お風呂で３人が大騒ぎして叫んでいても……。


「ま、いっか♪」


このひとことが、おおざっぱな私には合っているようです。

あなたには、どんな方法が合いそうですか？

そんなストレス解消やリラクシングの方法が、たくさんあるといいですよね。

まず、多少は自分の気持ちをコントロールできないと、子どもへの、コーチング的なアプローチなんてできないから。

とはいえ、まだまだコントロールできないことの方が、ずーーっと、多いんですけどね（笑）。


でも……、「ま、いっか♪」

＊　＊　＊

最上《もがみ》コーチは言いました。

「いつもいつも子どもを受け入れ、ちゃんと理解する〝いい母親〟でなくても、このあいだのペコちゃんの登校拒否事件みたいに、イザという時にしっかり対応できれば、それでいいんじゃないかなぁ……」

そして、イギリスの精神科医であり小児科医でもあったウィニコットは言いました。

「完璧な母親ではなく、ほぼ良い母親（Good Enough Mother）が、子どもの成長にとっては最も適切なんじゃないかなぁ……」

いや、語尾は推測ですが、著書の中で彼は「ほぼ良い母親とは、育児に自然に没頭でき、十分に子どもを抱っこし、子どもが成長していくにつれて、うまく手を抜いていくような母親」と説明しています。

さらにウィニコットは、「母親の失敗、つまり幼児の希望に100％応えられないという体験が、幼児の成長と独立の第一歩となる。その時、母親に必要なのは、体験を乗り越えた幼児に対する共感である」とも主張しています。

完璧でなくていい、ほぼ良い母親でいい。

この言葉を、がんばって、がんばって、がんばり過ぎて疲れている、すべてのお母さんに贈りたいと思います。

子育てはたくさんの人と手分けして

先のウィニコットは、その主張をこう続けています。

「誰でもほぼ良い母親になれる。ただし、新米の母親を支える人がいるならば」

そう、子育てはひとりではできません。支えてくれる人、助けてくれる人、伴走してくれる人、共感してくれる人、話を聞いてくれる人……。いろいろな人の、いろいろなサポートがあって初めて、子育ては楽しくできるのだと思います。

たとえば１００キロの荷物も、ふたりで手分けして持てば50キロになります。４人で持てば25キロになります。10人で分ければ10キロです。

ひとりでは持ち上げることすら難しい荷物も、手分けすればおしゃべりしながら、楽しく運べることでしょう。

支えてくれる人は、多いほどいいのです。

昔は家族もたくさんいたし、親戚も、隣近所との付き合いもいまよりはずっと親密なものでした。きょうだい同然で育つ幼なじみがいたり、勝手に家に上がり込んで夕御飯を食べるような付き合いも珍しくありませんでした。

高度成長期とともに核家族が増え、団地には鉄のドアができ、個人のプライバシーが尊重されるようになるのと並行するように、母と子の孤立化の危険も高まってきたのではないでしょうか。

いまでも、ご主人が毎日仕事で忙しい家庭などでは、お母さんと子どもとふたりだけで一日中家の中で過ごすこともあるでしょう。慣れない赤ちゃんの世話に追われ、

「きょうも一日、誰とも会話しなかった」なんて経験は、どのお母さんにもきっと一度はあるでしょう。

孤立化、閉塞化しがちな母と子の暮らしを開いていくには、やはりなにか行動を起こさなければなりません。ちょっと勇気を出して窓を開き、新鮮な風を入れましょう。重い鉄のドアを開けて、外へ出かけましょう。

なにも実際に、子育てを手伝ってくれる人を探さなくてもいいんです（もちろん何人かはそういう人も必要ですが）。いろいろな人と子どもとの、さまざまなつながりをつくる。あるいは子どものことを思ってくれる人を、一人でも多くつくる。そんなつながりが、子育てを手分けすることになると思うのです。

子育てって、いろいろな人の、いろいろな想いが集まれば、それだけでずいぶん軽くなるものなのかもしれません。

直接手を借りなくても、たとえば声をかけてくれるだけでも、見つめてくれるだけでも、あるいは遠くから思ってくれるだけでも、お母さんは気持ちがラクになる……。子どもだって、きっとそんな幸せを心のどこかで感じている……。なんだかそんな気がするんです。

昔の、地域での子育てって、そういうことだったんじゃないかなぁ。

いまは、そういうつながりが希薄になっているから、お母さんが意識して〝いろいろな人の手を借りながら〟〝いろいろな人と関わりのある子ども〟として育てていかないと、どうしても煮詰まってしまいがち。

働きながら子育てしていると、イヤでも保育所にお世話になったり、おばあちゃんに助けてもらったり、ヘルパーさんを頼んだり、ママ友だちに泣きついたり、せざるをえないけど、子どもといつもいっしょにいる専業主婦のお母さんほど、かえって人の手を借りにくい状況に陥りがちなのかもしれませんね。

たとえばコーチングで子育ての悩みを話すことそれ自体が、重い荷物をちょっとだけ手分けすること。コーチが子どものことを考えれば考えるほど、その重荷はちょっとずつ軽くなる……。

たとえば近所のおじちゃん、おばちゃんが、子どもに声をかけたり、気にかけてくれたりすればするほど、お母さんの負担は少なくなる……。

そんなふうに子育てをシェアしていくことは、誰にでもできるはず。

わが子のことを思ってくれる人を、ひとりでも多くつくる。

一方で、誰かの子どものことを思い、気にかけたり、声をかけたりすることで、その人の子育てをシェアすることもできると思うのです。

あなたの子育てでOK！

いま、巷《ちまた》には子育てについての情報があふれています。こうして子育て本を書いている私自身が言うのもナンですが、その中のどれが正解か、どれが間違っているか、は一概には言えるものではありません。

「抱きグセがつく」とか「つかない」とか。「ミルクがいい」とか「布オムツがいい」とか。「とにかくホメよう」とか「ホメ過ぎは良くない」とか。「過保護やワガママも悪くない」とか……。

時代によって、状況によって、昨日の常識も今日はどうなるかわかりません。ヨソの子には当てはまることが、ウチの子にはまったく当てはまらない、というのもよくあることです。

正解か否かの基準はどこにあるのでしょうか。

それは、常日頃コーチングでも言われているように「答えはあなたの中にある」のです。いえ、「あなたと子どもとの間にある」と言えるでしょうか。

最終的な答えは、育児書の中にも、世間の目の中にも、ないのです。

大切なのは、ひとつひとつの問いかけに、真剣に向かい、しっかり考えて、あなたなりの答えを見つけること。

あなたと、そして子どもとが心から納得する答えを見つけることができれば、それがいま現在での〝正解〟なのだと思います。

時が経つにつれて、違った答えが見えてくるかもしれません。それはその時に、また考えればいいのです。間違っていたと思えば、そこから新たにスタートすればいいのです。

人生は問いかけの連続だと思います。とくに子育てにおいては、一瞬一瞬にさまざまな判断を迫られます。待ったなしで、その問題に取り組まなければなりません。でもね、結果の点数よりもなによりも、そこでどれだけベストを尽したか。悔いなく挑戦することができたか。最後に、それをこそ自分に問いかけたいと思うのです。

世界的なベストセラー『死の瞬間』の著者であるエリザベス・キューブラー・ロスは、まさに自らが死に赴かんとする最晩年、テレビの取材に答えて、

「I'm not OK. You're not OK. But We're OK.」

という言葉を残していました。

それを私は、「そのままでいい、そこからスタートすればいい。あなたは、あなたのままでOKなのだから」という大きな肯定と受け止めました。

そんな言葉を、自分で自分を信じることの裏づけにしながら、子どもたちといっしょに、ゆっくりと答えをひとつずつ見つけていきたいと思っています。

あとがき

3年前にコーチングに出会い、その効果を実感した私は、「子育てに悩むお母さんに子育てコーチングを伝えたい」という一心でコーチを志し、そして、私のコーチであった最上輝未子《もがみきみこ》さんとともに、『タオとアービーの実録！ 子育てコーチング』というメールマガジンを発行することにしました。私と同じように3人の子どもを育てながら仕事を続けてきた最上コーチもまた、子育てコーチングを広めたいという想いを、ずっと心に秘めておられたからです。

メールマガジンでは、とにかく実際の経験を、実感込めて、実践的に書くことを心がけてきました。

ライターという書く仕事はしていても、子育てに関してはプロでもなんでもない。精神医学や心理学の専門家でもない。そんな〝ひとりの母〟である私がお伝えできるのは、結局のところ〝ひとりの母〟としての本音の言葉以外にはないと思ったからです。おかげさまで、たくさんの読者の方々にご登録いただきました。いまも100号を超えて、メールマガジンは続いています。

そんな拙いメールマガジンを創刊間もない頃からずっと見守っていてくれたのが、学陽書房の編集者である山本聡子さんでした。そして「そろそろ本にしてみませんか」と声をかけていただきました。山本さんが、まるでコーチのように寄り添い、励ましてくださることで、ようやくこの本が産まれました。ありがとうございます。

そして、メールマガジンを創刊して2カ月後の2004年3月に、子育てコーチングくらぶ〈ダブルス〉のサイトを立ち上げ、子育てコーチのネットワークづくりを本格的にスタートしました。全国のいろいろなコーチの方が賛同して、心強い仲間になってくれました。現在、登録コーチは17名。登録サポーターは6名。3児の母もいます、父もいます、不登校を乗り越えた母もいます、シングルマザーもいます。それぞれのコーチが、それぞれの立場から、〈ダブルス〉を通して素敵なメッセージを発信しています。

私を、コーチングという新しい世界へと導き、いまも支え続けてくれる最上輝未子コーチをはじめ、〈ダブルス〉のコーチやサポーターのみなさんの応援も大きな力になりました。いまあらためて、その出会いとお力添えに感謝します。本当にありがとうございました!

最後に〝ほぼ良い母親〟も怪しい母にもかかわらず、いつも「大好きだよ」と言ってくれる〝ペコ〟と〝ポコ〟と〝お兄ちゃん〟にも、ありったけの「ありがとう!」を贈ります。

いやー、本当に山あり谷ありだけど、あなたたち3人のおかげでお母さんの人生はぐっと面白くなりました。

2005年10月

川井　道子

◉著者紹介

川井　道子（かわい　みちこ）

1959年、長崎生まれの神戸育ち。フリーライター。
2004年より（財）生涯学習開発財団認定コーチとして、子育てに悩むお母さんへのコーチング等、子育てに関する幅広いサポートと執筆活動を展開中。
また、子育てコーチングを行うきっかけとなった、最上《もがみ》輝未子《きみこ》コーチ（㈶生涯学習開発財団認定プロフェッショナルコーチ）とともに、「子育てコーチングくらぶ〈ダブルス〉」のサイトを立ち上げ、現在、全国の子育てコーチのネットワークづくりも進めている。2男1女の母として、子育てにも奮闘中！　著書に『自分のアタマで考えられる子に』(PHP研究所)などがある。

◈子育てコーチングくらぶ〈ダブルス〉のホームページ◈
http://www.kosodate-c.com/

今日から怒らないママになれる本！
子育てがハッピーになる魔法のコーチング

2005年11月30日　初版発行
2006年11月10日　4刷発行

著者 ―― 川井道子

発行者 ―― 光行淳子
発行所 ―― 学陽書房
〒102-0072　東京都千代田区飯田橋1-9-3
営業　TEL 03-3261-1111　FAX 03-5211-3300
編集　TEL 03-3261-1112
振替口座　00170-4-84240

装丁 ―― こやまたかこ
イラスト ―― かまたいくよ
(DTP制作：フォレスト／印刷：文唱堂印刷／製本：東京美術紙工)

ISBN4-313-66039-9 C0037

＊乱丁・落丁本は送料小社負担にてお取替えいたします。
定価はカバーに表示してあります。